Sarah Ockler

Vinte Garotos no Verão

Na verdade, as coisas não vão embora.
Elas se transformam em algo diferente. Algo mais bonito.

Tradução
Paulo Polzonoff Jr.

Novo Conceito

Título original: *Twenty Boy Summer*

Publicado sob acordo com Little, Brown and Company, Nova York, Nova York, USA.

1ª Impressão — 2014

Produção Editorial:
Equipe Novo Conceito
Impressão e Acabamento Arvato Print 070314

Este livro segue as regras da Nova Ortografia da Língua Portuguesa.

Dados Internacionais de Catalogação na Publicação (CIP)
(Câmara Brasileira do Livro, SP, Brasil)

Ockler, Sarah
Vinte garotos no verão / Sarah Ockler; tradução Paulo Polzonoff Jr.
-- 1. ed. -- Ribeirão Preto, SP : Novo Conceito Editora, 2014.

Título original: Twenty boy summer.
ISBN 978-85-8163-365-7

1. Ficção norte-americana I. Título.

14-00982 CDD-813

Índices para catálogo sistemático:
1. Ficção : Literatura norte-americana 813

Novo Conceito

Rua Dr. Hugo Fortes, 1885 — Parque Industrial Lagoinha
14095-260 — Ribeirão Preto — SP
www.grupoeditorialnovoconceito.com.br

Para Alex, meu melhor monstro e minha pessoa preferida no mundo todo.

1

Frankie Perino e eu tivemos sorte naquele dia. Sorte de estarmos vivas — foi o que todos disseram. Fiquei com um pulso quebrado e um joelho ferido, e minha melhor amiga, Frankie, saiu com uma enorme cicatriz sobre o olho esquerdo, que dividia sua sobrancelha em duas metades, uma para cima e a outra para baixo. Feliz, triste. Choque, surpresa. O antes e o depois.

Antes, todos nós tínhamos sorte.

Depois, só eu e Frankie.

Foi o que todos disseram.

2

Foi há apenas um ano.

Doze meses, nove dias e seis horas atrás, para ser mais exata.

Mas, treze meses atrás, tudo era... *perfeito.*

Fechei meus olhos, inclinei-me sobre as velas e rezei para a fada do bolo ou para o Deus dos Aniversários ou quem mais estivesse no comando para que Matt Perino — o irmão de Frankie e meu melhor amigo-menino — enfim me beijasse. Era o mesmo pedido secreto que eu fazia todos os anos desde que Frankie e eu tínhamos 10 anos e Matt tinha 12, época em que sem querer me apaixonei por ele.

Frankie, Matt e os pais deles — "tio" Red e "tia" Jayne, ainda que não fôssemos parentes — comemoravam meu 15º aniversário em nosso quintal junto comigo, mamãe e papai, como sempre. Quando toda a cantoria, as palmas e o apagar das velas cessaram, abri os olhos. Matt estava bem pertinho de mim, a meu *lado,* compartilhando o mesmo ar. Safado. Minha nuca ficou quente e arrepiada quando senti o cheiro do xampu de maçã que ele exalava — roubado do frasco verde do banheiro da irmã, pois ele gostara do resultado nos cabelos de Frankie. Por um segundo achei que meu desejo de aniversário afinal se realizaria bem ali diante de todos. Nem tive tempo de *pensar* na vergonha que passaria, pois a mão de Matt, que segurava uma fatia de bolo, se arqueou numa trajetória não tão lenta em direção a minha cara.

Mesmo que o bolo na cara tenha sido um progresso claro em relação ao banho de refrigerante no estilo "técnico do Super Bowl" no ano anterior, alguma coisa do meu desejo ainda se perdia enquanto eu soprava as velinhas. Fiz uma anotação mental para esclarecer meu pedido no ano seguinte, com itens de exemplos irrefutáveis de clássicos de Hollywood, e gritei, batendo com as duas mãos na mesa de piquenique.

Puxei duas pontas da toalha de mesa cheia de flores de merengue.

Depois, me vinguei.

Empurrei.

Corri.

Persegui Matt pelo quintal até que ele caiu no chão e esfregou mais um pedaço de bolo em mim, passando-o em meu rosto como se fosse uma máscara de lama. Continuamos assim por dez minutos, rindo e rolando na grama. Frankie e nossos pais, todos morrendo de rir, estavam gritando e jogando mais bolo no ringue, com vela e tudo. Quando por fim paramos para respirar, não havia sobrado quase nada do bolo e nós dois estávamos sujos de cobertura azulada até a raiz dos cabelos.

Levantamos devagar, rindo de boca aberta ao declararmos trégua. Papai tirou uma foto — o braço de Matt sobre meus ombros, pedaços de bolo e doces coloridos e grama pendurados em nossas roupas e cabelos emaranhados, tudo cálido e rosa no brilho do pôr do sol, todo aquele verão se estendendo diante de nós. Não importava que Matt estivesse indo para a faculdade no outono, pois ele estaria estudando literatura norte-americana em Cornell, a apenas uma hora de distância, e já começara a falar que Frankie e eu o visitaríamos nos fins de semana.

Quando a farra do bolo enfim acabou, Matt e eu fomos para dentro de casa nos limpar. Depois da porta da varanda, escondidos de todos que estavam no jardim, ficamos diante da pia da cozinha sem dizer nada, no escuro. Eu o encarei de rabo de olho, esperando não expor os pensamentos secretos de minha mente — pensamentos que, apesar de meus esforços para contê-los, iam bem além de minha permissividade.

Seus cabelos pretos desgrenhados e seus olhos azuis me enfeitiçavam, abafando as conversas do lado de fora como se estivéssemos imersos na água. Estiquei a mão grudenta e o ameacei com outro tanto de cobertura, numa tentativa de quebrar o silêncio, com medo de que ele ouvisse meu coração batendo forte sob a camiseta. Tum-tum. Tum-tum. Tum-tum-tum-tum.

Matt tirou a cobertura de bolo de minha mão estendida e se aproximou de sobrancelha arqueada, mudando os rumos do que havia ou não havia entre nós.

— Anna — ele disse, enfiando os dedos sujos em meus cabelos —, você não sabe o que acontece quando um menino mexe no cabelo da aniversariante durante a festa?

Não. Naquele instante, eu não sabia o que nada significava. Não conseguia lembrar como chegamos à cozinha, por que estávamos cobertos de bolo, por que meu melhor amigo-menino estava me olhando daquele jeito diferente. Esquecera até meu nome. Mordi o lábio inferior para não dizer algo estúpido sem a permissão de meu cérebro, como: "Ah, Matt, todos os meus desejos se tornaram realidade." Senti a estupidez subindo à garganta e mordi mais forte, encarando o pingente de vidro do mar azul que ele usava num cordão de couro ao redor do pescoço. Eu estava ofegante.

Subindo.

Descendo.

Passaram-se segundos? Horas? Eu não sabia dizer. Ele havia feito esse colar no ano anterior. O pingente era um pedaço triangular de vidro que ele encontrara durante uma viagem de férias com a família à baía de Zanzibar, bem atrás da casa de praia californiana que eles alugavam por três semanas todos os verões. Segundo Matt, o vidro do mar vermelho era o mais raro, seguido do roxo e do azul-escuro. Até então ele havia encontrado apenas um vidro do mar vermelho, que usou para fazer um bracelete para Frankie meses antes. Ela nunca o tirava do braço.

Eu adorava os de todas as cores — verde-escuro, azul-bebê, azul-piscina e branco. Frankie e Matt me traziam vidros do mar em potes todos os verões. Eles viviam silenciosamente em minha estante, como pedaços congelados do oceano que eu nunca vira.

— Vem cá — sussurrou ele, a mão ainda enfiada em meus cachos, meus cabelos loiros envolvendo seus dedos.

— Não dá para acreditar que foi você que fez — eu disse, não pela primeira vez. — É tão... legal.

Matt olhou para o pingente de vidro; os cabelos estavam caindo sobre seus olhos.

— Talvez eu o dê para você. — ele avisou. — Se você tiver sorte.

Sorri, fixando meu olhar no triângulo azul. Eu tinha medo de olhar para ele porque, se nossos olhos se encontrassem, ele podia tentar... e então tudo podia ser... e eu talvez...

— Feliz aniversário — Matt sussurrou, o hálito quente e de repente perto dos meus lábios, me fazendo estremecer. E, com a mesma rapidez que fui surpreendida pelo bolo na cara, ele me beijou. Sua mão suja de cobertura me segurava pela nuca; a outra, sólida e quente em minhas costas, me puxava para perto, meu peito contra suas costelas, meu quadril um pouco abaixo do dele, nossas pernas de verão nuas, quentes, se tocando. Meus olhos estavam fechados, e sua boca tinha gosto de flores de marzipã e de cigarro de cravo. Em dez segundos toda a minha vida girava em torno daquele beijo, daquele desejo, daquele segredo que para sempre dividiria minha vida em duas partes.

Para cima, para baixo. Feliz, triste. Choque, surpresa. O antes e o depois.

Naquele momento, Matt, antes apenas meu amigo, tornou-se algo bem diferente.

Eu o beijei. Esqueci o tempo. Esqueci meus pés. Esqueci as pessoas lá fora esperando que voltássemos à festa. Esqueci o que acontece quando amigos cruzam esse limite. E, se meus pulmões não se enchessem, se meu coração não batesse e meu sangue não pulsasse contra a minha vontade, eu teria me esquecido deles também.

Eu podia ter ficado daquele jeito a noite toda diante da pia, com os cabelos pretos de Matt resvalando em meu rosto, o coração batendo, sortudo e esquecido...

— Por que essa demora toda? — Frankie perguntou, subindo os degraus da varanda. — Vamos lá, Anna. Aos presentes.

Afastei-me de Matt pouco antes de minha amiga colocar o rosto no batente e olhar para dentro.

— É verdade, aniversariante — Matt sorriu —, por que essa demora?

— Espere um pouco, Frank — lancei-lhe meu olhar "não ouse". — Só preciso me trocar.

— Posso ir junto? — Matt sussurrou contra meu pescoço, me arrepiando. Ou provocando um terremoto.

De repente me lembrei de todos os banhos que tomamos juntos quando crianças, antes de crescermos o suficiente para isso se tornar perigoso demais. As lembranças pareciam diferentes agora. Eram mais vulneráveis, cruas. Meu rosto ficou quente e eu precisei desviar o olhar.

— E aí? — Matt beliscou meu braço enquanto Frankie voltava para a mesa de piquenique.

— E aí que você tem sorte de Frankie não ter ouvido — eu disse, sem ter certeza se ela ouvira ou não. — E você tem de trocar *sua* camisa também. No *seu* quarto. Quero dizer...

— Hummm — Matt pegou minha mão e me puxou para outro beijo, a outra mão em meu rosto, rápido e intenso. Ele pressionou seu corpo contra o meu na mesma configuração de quadris, barrigas e costelas da primeira vez. Eu também o pressionei, querendo me envolver nele, ancorar-me nele. Era isso o que me impedia de flutuar como uma bolha.

— Você acha que sua irmã nos viu? — perguntei quando afinal nos separamos.

— Não — ele riu, ainda segurando minha mão. — Não se preocupe. Este é o nosso segredo.

Sozinha em meu quarto, coloquei a camisa suja de bolo num saco plástico para cuidar dela mais tarde. Lavei o rosto e os cabelos com água fria, mas minhas pernas não paravam de tremer e eu não conseguia recuperar o fôlego. Meu cérebro, ausente no beijo na cozinha como se podia notar, estava agora hiperciente, criando cenários e questões impossíveis, alguns minutos atrasado.

E agora?

Isso acaba com nossa amizade?

E nossos pais?

Ele gosta de mim ou estava apenas se divertindo?

Vai acontecer de novo?

Como contaremos para Frankie?

Por que ele disse que seria nosso segredo?

Respostas inventadas povoavam minha mente, e eu tive de fechar os olhos e contar até cinquenta para me acalmar. Quinze minutos depois de tudo ter mudado era cedo demais para ficar obcecada com o futuro.

Lá fora de novo, aquecida e tonta diante da fogueira do papai, passei o resto da noite sem tocar em Matt, sem rir demais das piadas dele, sem olhar para ele, com medo de alguém ler os pensamentos estampados em meu rosto. Depois que o fogo diminuiu e eu abri todos os presentes, era hora de a família Perino voltar para casa. Eu disse adeus e obrigado a Frankie, ao tio Red e à tia Jayne. Mas fiquei olhando para meus pés quando foi a vez de Matt.

— Obrigada pelo bolo — falei. — E pelo diário

Ele sabia que eu adorava meus diários tanto quanto ele adorava seus livros. Foi o meu melhor presente. Bem, o segundo melhor presente.

— Feliz aniversário, Anna — ele disse, puxando-me e me dando um abraço apertado, dizendo com uma piscada que viria no dia seguinte, exatamente como faria em mil outras noites. — Escreva algo para mim hoje à noite.

Para todos os outros ele era o Matt de sempre, o grande irmão no inseparável triângulo Anna-Frankie-Matt, o menino que costumava enterrar nossas Barbies no quintal e ler histórias de aventura quando não conseguíamos dormir. Mas, para mim, ele se tornara algo mais depois que puxara meus cabelos diante da pia da cozinha. Algo *diferente.* Algo que jamais seria como antes.

Acordada? Essa foi a mensagem de Matt que acendeu em meu celular, sobre o criado-mudo, naquela noite.

Sim.

Claro que eu estava acordada. Desde a festa meu coração não diminuíra o compasso furioso. Dormir estava fora de questão.

Encontre-me nos fundos, ok?

Ok, em 5 min.

Vesti uma camiseta, escovei os dentes e prendi os cabelos num rabo de cavalo. Comecei a procurar o delineador, mas concluí que seria um pouco estranho (e óbvio) se eu aparecesse na varanda dos fundos à uma da manhã toda maquiada. Em vez disso, optei pelos cabelos soltos com um pouco de batom sabor manga — casual, mas arrumada.

Não era bem uma fuga. Quero dizer, era no meu quintal, e, se eu visse alguma das luzes se acendendo, podia voltar para a cozinha e fingir que estava procurando o último pedaço de bolo que sobrou da batalha de aniversário.

Matt estava esperando nos degraus enquanto eu saí na ponta dos pés. Meus pés descalços nem mesmo haviam tocado a grama quando ele me puxou para o lado, rente à parede.

— Não consigo parar de pensar em você — ele falou, me beijando de novo, dessa vez com uma objetividade e uma intensidade que eu nunca vira na longa história de nossa amizade. Eu também o beijei, passando meus braços em volta de seu pescoço enquanto sua boca se juntava à minha. Eu devia estar tremendo, porque depois de um instante ele parou e perguntou se eu estava com frio.

— É só... a surpresa — respondi. — Estou feliz. E assustada.

Era apenas um suspiro, mas eu esperava que transmitisse tudo o que eu estava pensando. Que eu sentia medo de conseguir o que queria, que eu sentia medo de magoar Frankie, de perder dois grandes amigos, de desfazer tudo o que nós três fizemos e amamos desde crianças.

— Eu também — ele sussurrou, respirando com dificuldade. — Anna, você já...

Antes que ele pudesse terminar, um quadrado de luz caiu sobre a grama, vindo da janela do banheiro de papai e mamãe, no andar de cima.

— Tenho que voltar — avisei. — Amanhã?

Ele segurou meu braço e me puxou para perto. Um sussurro resvalou contra meu rosto.

— Amanhã.

Depois ele beijou meu pescoço, seus lábios tocando a pele sob minha orelha, e aquela sensação ficou, como uma centelha de fogueira que ainda queimava, muito depois de eu voltar para a cama.

Ele ligou no dia seguinte.

— Oi.

— Oi — eu continuava confusa pelo encontro noturno no jardim e pela insônia provocada pelo beijo.

— Vou tomar sorvete com a Frankie. Quer ir?

Frankie.

— Claro — aceitei. —Matt, será que devemos... Quero dizer, você disse alguma coisa a ela?

— Não... *exatamente.*

Será que isso significa que ele não acha importante? Que podemos tomar sorvete como se fosse um dia qualquer, como se nada tivesse acontecido? Como se não fosse acontecer de novo?

— Eu quero contar, Anna — ele explicou, parecendo ler minha mente. — Só que... ela é minha irmãzinha. E você é nossa melhor amiga. E agora você é minha... quero dizer, precisamos cuidar dela, entende?

E agora eu sou sua o quê?

— Eu sei — eu disse.

— Não se preocupe, Anna. Vou contar, ok? Só me deixe pensar na melhor forma de fazer isso.

— Combinado.

— *Promete* que não vai dizer nada?

— Não se preocupe — falei, rindo. — É o nosso segredo, não é?

Demorei uma hora para me aprontar, obcecada com o cabelo e a roupa e com coisas que nunca haviam me interessado muito. Não conseguia ficar sem aquele frio na barriga diante da ideia de encontrar Matt de novo, sentir seus lábios nos meus, falar com Frankie, saber como será o restante do verão, o restante de tudo.

Quando cheguei à casa deles, sentei no banco de trás do carro de Matt e evitei contato visual com ele, preocupada com ele já ter contado alguma coisa a Frankie ou não. Ficamos o tempo todo sem olhar um para o outro, com Frankie falando no banco da frente sobre a próxima viagem para a Califórnia, parecendo alheia ao fato de que tudo havia mudado na noite anterior. Só depois que já estávamos dentro da sorveteria e Frankie foi buscar a bolsa esquecida no carro é que acabamos nos olhando.

— Ei — disse Matt, sorrindo para mim. Abri a boca para dizer algo importante, algo espirituoso e encantador, mas naquele começo de relacionamento tudo era importante, então fiquei sem saber o que falar.

— Oi — enfim respondi.

Matt remexeu em suas chaves e bateu com o pé no chão.

— No que você está pensando? — ele perguntou, acariciando minha testa.

Antes que eu pudesse inventar algo melhor do que "na festa de ontem à noite e no encontro no quintal e em como eu queria que você se calasse e me beijasse de novo", Frankie retornou, levando-nos a tomar a difícil decisão entre uma banana split e um sundae de chocolate.

Poupando Frankie da agonia de escolher, Matt pediu um de cada, e também um sundae de caramelo para mim. Dividimos tudo, como sempre.

Enquanto Frankie enfiava uma colherada de sundae na boca do irmão, rindo sua risada amena, senti uma pontada de culpa no estômago. Até a noite anterior não havia segredos entre nós três, exceto o que eu mantinha para mim mesma — meus sentimentos silenciosos e não correspondidos por Matt. Eu mal podia olhar para ele sem sentir algo revirar por dentro. *Por favor,* por favor, conte para ela.

— Ouça — disse Matt. Estávamos outra vez sob as estrelas, escondidos enquanto todos dormiam. — Você sabe que a Frankie precisa saber por mim. Acho que a melhor hora para contar será quando estivermos na Califórnia. É daqui a algumas semanas e eu vou ter algum tempo sozinho com ela para contar tudo. Isso fará a ficha cair para ela.

A ideia de esconder algo tão importante, intenso e inacreditável de minha melhor amiga por só mais um dia estava quase me matando. Eu nunca havia escondido dela mais do que uma paixão passageira — ela sabia de tudo. Esteve presente em cada tragédia, cada comemoração, cada momento vergonhoso. Frankie estava comigo quando coloquei aparelho nos dentes, na quarta série; na sétima série, quando saí do banheiro da escola e passei pela fila do lanche com a saia presa na calcinha. Também estava comigo quando eu e Jimmy Cross nos beijamos, na oitava série, e fomos mandados para a sala do diretor. Aniversários, sonhos, medos, risos, obsessões — tudo. Frankie tinha o mapa da minha vida na sua mente, e eu, o da vida dela. Eu estava odiando o fato de meus sentimentos por Matt estarem enterrados como um tesouro secreto.

Mas ele era irmão dela. Eu confiava nele. E quando ele pousou suas mãos em meu rosto e sussurrou meu nome contra meus lábios, eu sabia que manteria minha promessa para sempre.

Os dias passaram e logo se transformaram em semanas, e Matt e eu perpetuamos nosso papel de "apenas amigos" ao máximo diante de Frankie e de nossas famílias. Durante vários jantares e visitas no quintal eu quis acabar com o mistério, abraçá-lo diante de todos e tornar tudo público. Eu censurava todos os olhares que lhe lançava, todas as palavras, todos os toques, certa de que poderia me atrapalhar e de que alguém descobriria.

Mas ninguém descobriu nada.

Para nossos pais e Frankie, éramos os mesmos amigos de sempre, inocentes e inseparáveis. Sempre que podíamos roubar alguns minutos sozinhos, era aí que nos tornávamos "os outros", aquela coisa energizada que me mantinha acordada à noite, com medo de me apaixonar rápido demais, com medo de perder, com medo de que nada durasse depois que Frankie descobrisse. Trocávamos beijinhos rápidos no corredor, cumplicidade e olhares maliciosos na mesa do jantar quando não estavam olhando. Fugíamos todas as noites para os fundos de minha casa para observar estrelas cadentes e sussurrar sobre a vida, nossos livros preferidos, o significado de letras de músicas e velhas memórias, e sobre o que aconteceria depois que Frankie soubesse. Não eram os assuntos que haviam mudado — falávamos sobre todas essas coisas antes. Mas agora havia uma nova intensidade. Uma urgência por saber o máximo que pudéssemos, por nos adaptar ao máximo em nossas últimas noites antes que Matt revelasse nosso segredo.

No último dia antes da viagem, depois que eles terminaram de arrumar as coisas, nós três voltamos para a Custard's para um último sorvete. Pedi um sundae de chocolate e menta, Frankie pediu uma casquinha e Matt, um milk-shake de morango. Matt e Frankie estavam alegres, ansiosos pela viagem, levando-me junto na torrente de sua empolgação. Eu mal podia esperar que eles fossem para a casa de verão em Zanzibar, a praia onde Matt contaria a Frankie sobre nós, e ela sorriria e o abraçaria, e tudo seria perfeito de novo.

— Tudo vai ficar bem, Anna, você vai ver — Matt sussurrou quando Frankie foi buscar mais guardanapos. — Sei que isso está se arrastando, mas ela é minha irmãzinha, não posso evitar. Afinal, é preciso cuidar dela.

Sorri, imaginando nosso último beijo antes da partida no dia seguinte, nosso encontro noturno de sempre atrás da casa.

Dividimos nossos sorvetes, guardando um pouco para o caminho de volta. No carro, Matt aumentou o volume do seu CD preferido do Grateful Dead. Frankie e eu cantávamos enquanto ele fazia a harmonia, seu rosto sério ao se concentrar nas palavras. Ele dirigia com uma das mãos no volante e a outra batendo no painel, na coxa e de novo no painel — fazendo um solo imaginário de bateria. Deixei de cantar para tomar uma colherada de meu sundae de chocolate e menta; um buraco me fez errar a pontaria, e o sorvete caiu em meu colo. Por estar no banco da frente, ao lado dele, nem me importei. Em apenas três semanas meus melhores amigos estariam de volta, e ajudaríamos Matt a se preparar para a faculdade, aproveitando o pôr do sol do verão e ansiando pelo restante de nossos dias — o restante de nosso para sempre.

O refrão começou de novo nos alto-falantes e eu cantei mais alto: *Ca-sey Jones you bett-er... watch your speed...*[1] Frankie ria no banco de trás e Matt também ria a meu lado, com os dedos secretamente resvalando em meu joelho. O sol do meio-dia estava no auge, feliz sobre a rua empoeirada.

Juntos. Felizes. Inteiros.

Os três corações.

As possibilidades infinitas.

E então... meu sundae voou de minhas mãos em direção ao painel.

Derrapando.

Gritando.

Batendo.

Vidro quebrado.

O volante girando.

Casey Jones saltando repetidas vezes: *Watch your...watch your... watch your speeeeed.*

Alguém apertando minha mão, me acalmando, perguntando o nome e o telefone de meus pais. *Helen e Carl Reiley. Mas não conte para eles,* eu acho.

---

[1] Casey Jones, você deveria prestar atenção na velocidade.

Uma ambulância. Paramédicos. Macas.

— Peguei o rapaz — alguém grita. — Tire as meninas!

— Você me ouve? Consegue mover as pernas?

— Jesus, vocês têm sorte de estarem vivas.

Na recepção do hospital, aconcheguei-me contra o peito de papai, deixando que ele alisasse meus cabelos e sussurrasse canções dos Beatles, como fazia para espantar os fantasmas quando eu era pequena. Minha cabeça doía, meu joelho estava enfaixado e meu pulso, imobilizado. Frankie, sentada diante de mim com os joelhos levantados até o peito, tinha o lábio inchado e oito pontos sobressaindo como pernas de uma aranha sobre a sobrancelha esquerda. Ela estava imóvel — só os dedos acariciavam o bracelete de vidro vermelho feito por Matt. Fechei os olhos sob as luzes fluorescentes e tentei fazer outro pedido de aniversário, um repeteco, uma troca pelo beijo na cozinha que deu início a tudo, um último milagre.

Pensei na boca com cobertura de cravo e marzipã de Matt e em seus livros preferidos espalhados em todos os cantos de seu quarto enquanto o médico nos dizia o que acontecera. Matt não era um motorista descuidado; ele apenas convivia com um orifício no septo cardíaco, uma pequena falha que se mantivera inativa por dezessete anos até se manifestar, no caminho da sorveteria para casa. Usaram um termo médico mais apropriado ao explicar para Red, entregando-lhe um saco plástico com as coisas de Matt: relógio, carteira, a camiseta Syracuse Orangemen que ele usava naquele dia. Mas eu sabia o que aquilo significava. Eu soube assim que Red começou a gritar, assim que tia Jayne desmaiou nos braços de mamãe, assim que o capelão do hospital chegou com a boca murcha e olhos compassivamente treinados.

Matt — o Matt, filho de Red e Jayne, irmão de Frankie, o *meu* Matt — morrera de um ataque cardíaco.

A partir desse dia tudo o que mais importava em minha existência só... *deixou de importar*. Eu estava imersa de novo sob as águas, vendo as coisas em câmera lenta, sem som nem contexto, sem sentir, sem me importar. O mundo poderia ter acabado que eu não teria notado.

De certo modo, ele acabara *mesmo*.

Eles devem ter deixado Red, Jayne e Frankie se despedir dele, mas não lembro.

Mamãe e papai devem ter ligado para parentes e amigos e agências funerárias, mas também não lembro.

Deve ter havido enfermeiras, desculpas, documentos de doação de órgãos e copos de isopor com café frio, mas não lembro de nada. Não de uma forma que faça sentido.

Não lembro nem de como voltei para casa. Só sei que em um minuto estava como imersa na água naquela cadeira do hospital e no outro já estava de volta a minha cama, com a porta fechada para as conversas abafadas de meus pais lá embaixo e o telefone tocando sem parar.

Devo ter dormido, porque sonhei com Matt. No sonho, ele me dava seu colar com pingente azul de vidro e o bracelete vermelho de Frankie.

— Precisamos cuidar dela, sabe? — ele disse. — Eu é que tenho de contar para ela. É a única maneira.

Eu sei.

Quando ele sorriu para mim, eu prometi. Prometi que a protegeria.

Prometi que nosso segredo iria permanecer oculto por toda a eternidade.

E vai.

3

Estendida de bruços no novo edredom roxo de Frankie, usando camiseta e calça de ioga, li a entrevista da Helicopter Pilot na *Rolling Stone* três vezes.

— Brandywine — Frankie fecha o batom e admira seus lábios diante de seu chamado espelho das vaidades. — Pode ser muito escuro para você — diz ela, me dando o batom. —, mas tente, se quiser.

Não preciso tentar. *Vai* ser escuro demais. Minha pele é tão branca que chega a ser quase azul, exceto por dezenove sardas que eu odeio, todas imunes a *peelings* e tratamentos de esfoliação.

— Frank, *por favor* — volto ao início da entrevista. Deveríamos estar fazendo nossas listas de bagagem e definindo todas as coisas legais que faríamos na Califórnia mês que vem, mas passei a última hora observando Frankie se enfeitar. — Eu me recuso a me arrumar toda só para isso.

— Quem está se arrumando? — pergunta Frankie. — Estou só... Ah, fica quieta, Anna.

Frankie se arruma para qualquer coisa — planejamento de viagem, cinema, compras e até mesmo para tirar o lixo do quintal. A terra podia sair de órbita por uma dobra no *continuum* espaço-tempo e, enquanto a América do Norte se aproximasse da Europa à metade da velocidade da luz, com casas e flamingos de jardim e cães voando, Frankie diria: "Espere um pouco, Anna. Tenho alguma coisa nos dentes?"

Frankie sempre foi a lindinha, mesmo quando nossas mães nos vestiam com o mesmo vestido de alcinha ou calça jeans. Mas ela costumava ser tímida e doce, e se sentir até um pouco embaraçada.

No último ano, quando o choque da morte de Matt passou e ela deixou de chamá-lo do lado de fora do quarto, Frankie encolheu-se num casulo como uma lagarta, solitária e insegura. Não falava com ninguém — seus pais, meus pais, nem comigo. Não de uma forma que importasse. Às vezes eu me perguntava se perderia meus dois melhores amigos de ataque cardíaco. Mas quando a escola recomeçou, no outono, ela emergiu, metamorfose concluída, uma borboleta toda novinha que deixara de chorar, que adorava meninos, usava muita maquiagem e fumava Marlboro light em segredo na janela do quarto.

Agora, para onde quer que fôssemos, Frankie entrava no ambiente como um buraco negro e, de acordo com o Quinto Teorema da Física Quântica e das Meninas Bonitas, sugava toda a atenção ao redor.

— Anna, você quer ou não? — perguntou.

— Não. Muito escuro.

— Fique à vontade, fantasminha — ela fechou a boca, limpando-a com um lencinho e jogando um pó translúcido por cima.

O remix Frankie. Sombra impecavelmente aplicada, unhas pintadas à francesinha, cabelos castanhos com reflexos ruivos caindo pelo queixo e *cintilando.* "Anna" e "cintilar" não pertencem à mesma frase. Meus cabelos são encaracolados, desgrenhados e parecem uma palha se eu não aplicar bastante gel. Além do básico de hidratar e de fazer a higiene adequada, a última vez que passei algum tempo em contato com minha diva interior foi quando fiquei com Matt. Agora, minha maquiagem ficava escondida no banheiro, sob uma camada cada vez mais espessa de poeira rosa.

— Você adorava isso — ela comentou, procurando um tom mais leve. — Aqui, tente este, Moonlight Madness. Tem cristais ou coisa assim.

Dei de ombros e me voltei para as imagens do autodenominado mascote da Helicopter Pilot, o Air Guitarist, até que ela se distraiu, misturando tons de sombra nas costas da mão com um cotonete. Não a culpo por tentar. Ela não sabe de Matt, o fantasma que entra e sai de meu coração assombrado e não resolvido.

Não se preocupe. É o nosso segredo.

— Você gosta desta cor? — ela me encara e sorri. Alguma coisa em seu sorriso me faz lembrar dele, e tenho de desviar o olhar para impedir a inundação de lembranças. É oficial, já faz mais de um ano agora. Sei que deveria deixar para trás, mas é algo que nunca me larga. Todas as manhãs, eu acordo e me esqueço só por um segundo de tudo o que aconteceu.

Quando abro os olhos, a lembrança me enterra como um deslizamento de rochas tristes e afiadas.

Quando abro os olhos, estou pesada, como se houvesse gravidade demais pressionando meu coração.

Nunca falo com Frankie sobre isso. Matt é seu irmão de verdade, não seu melhor amigo-menino que é tipo um irmãozão. Nunca falo *nada* sobre ele.

Apenas engulo em seco.

Faço que sim e sorrio.

Um pé diante do outro.

Estou bem, obrigada por não perguntar.

— Esta cor está ótima em você, Frank — digo.

— Você viu meu pincel maior? — ela pergunta. — Não encontro nada desde que a mamãe transformou meu quarto no hotel Sahara.

— Veja naquela caixinha na sua mesa. — Aponto para um conjunto de caixas douradas enfileiradas em ordem de tamanho.

Frankie encontra o pincel na caixa do meio.

— Preciso trancar a porta, senão não encontrarei mais nada.

Nos últimos seis meses, tia Jayne ficou obcecada com assuntos de decoração. Sempre que eu entrava na casa de Frankie, algo estava diferente — novas almofadas ou móveis trocados de lugar, mais plantas ou menos plantas, paredes coloridas ou tons neutros minimalistas, um redemoinho de véus, objetos e cortinas. Na semana passada ela transformou o quarto dos anos 1920 de Frankie num oásis marroquino, envolto em tons de roxo, vermelho e contas de madeira como cortinas.

— É como uma nova aventura todos os dias — disse Frankie mês passado, quando seu banheiro de libélulas se tornou uma central sexy quase da noite para o dia, incluindo prendedores de cortina de lacinho. Acho bom que tia Jayne se empolgue com alguma coisa de novo — e corra para a loja de tecidos ou para a loja de artigos de casa e jardim sempre que a inspiração baixar, ou seja, sempre que um daqueles programas de redecoração total feita por estranhos em quarenta e oito horas passe na televisão. Só no último mês ela ocupou metade da garagem com caixas de revistas, tecidos para almofadas, pincéis, antiguidades, espelhos de luz e peles falsas. Só há um quarto em que ela não ousa tocar — o quarto no fim do corredor. Ele fica sempre com a porta fechada, como se não existisse mais.

— Frankie, você está pronta? — sei tudo o que há para saber sobre a banda Helicopter Pilot, incluindo o fato de seu baterista, Scotty-O, ter passado por um transplante de fígado aos quatro anos, e estou cansada de ver a cabeça de Frankie de um lado para o outro. — Já li esse artigo tantas vezes que sinto que *estou* na HP.

— É — ela disse —, mas eles são a melhor banda do universo e você desafina até para cantar "Parabéns a Você".

— Talvez não. Mas *eu* passei na prova final de inglês, o que é mais do que eu posso dizer para *algumas* pessoas neste quarto.

— Ei! Setenta e sete ainda é nota para passar. E, para sua informação, *inteligentona*, acabei de me inscrever num serviço de e-mails de uma palavra por dia para expandir meu vocabulário.

— Ah, é mesmo? — perguntei.

— A palavra de hoje é *judicial.* Tipo, só porque Anna é uma supernerd, não significa que ela tenha de ser tão *judicial* contra pessoas que não são.

— Crítica. Você quer dizer *crítica.* E eu não sou.

— Criti... *droga.* — Ela pega um caderno espiral e escreve: Crí-ti--ca. *Crítica.* Você — diz ela, tampando a caneta e jogando o caderno de volta na mesa —, você adora estar certa, não é?

Jogo a revista no chão.

— É doloroso, mas alguém precisa ser a inteligente nesta operação toda.

Frankie dá de ombros, levando o pincel de maquiagem ao nariz.

— Acho que vou ter de contar com a minha aparência. Estou pronta. — Ela se levanta da cadeira da vaidade e sorri com as mãos na cintura, como se estivesse esperando por uma direção de palco. *Minha borboleta.* Assim como seu irmão. Quando ela sorri, seus olhos azuis se iluminam e encantam todos ao redor.

— Perfeito — digo, prendendo meus cabelos com um lápis. — Agora, *por favor*, será que podemos começar a planejar esta viagem, de preferência antes do fim?

Frankie me joga uma caneta roxa e um papel que estavam na mesa. Enquanto trabalho em minha lista do que levar na bagagem, ela anda pelo quarto gritando itens em potencial, indo para a frente e para trás com sua câmera de vídeo. Uma de suas tias lhe deu a câmera depois que Matt morreu para "a distrair", e ela não largou o brinquedo desde então. Acho que ela teme perder algo importante — ou não ser capaz de se lembrar depois, quando importar.

Em menos de uma hora, listamos roupas (casual para o dia, moda para o dia, casual para a noite, moda para a noite, pijamas e trajes de banho), biquínis (que ainda precisávamos comprar), itens de banheiro e maquiagem (para Frankie), jogos, música e livros (para mim). Também escolhemos o nome oficial de nossa vindoura aventura — Melhor Verão de Todos os Tempos (M.V.T.T.) —, porque é isso que exatamente *será,* de acordo com minha recém-nomeada guia turística.

— Você está bem, Anna? De repente não parece mais tão empolgada — Frankie se senta diante de mim e inclina a cabeça, franzindo a testa. Matt costumava fazer a mesma coisa sempre que estava preocupado com uma de nós e precisava analisar mais de perto a situação.

— Não, eu estou bem — digo. — Só não parece real ainda. Você sabe como o papai estava estranho. Não quero me empolgar demais antes de estar de fato *no* avião.

Papai já acha que passo tempo demais na casa dela. "Red e Jayne precisam se envolver mais no luto de Frankie", ele disse em mais de uma ocasião, acrescentando em seguida algo como "ainda mais porque esta será a primeira viagem deles sem o Matt". Mas o que papai sabe? Sua ideia de apoio é tomar cerveja com tio Red e não mencionar o nome de Matt.

Frankie balança a cabeça e desliga a câmera.

— Não se preocupe. Ele já disse que você pode ir. Você só precisa de um pouco de... ah, como se fala? Envisionação, acho.

— Envisionação? — pergunto.

— Sabe quando você pensa numa coisa que quer e se imagina conseguindo?

— *Visualização,* Frankie. E não vai dar certo.

— Visualização. É, isso mesmo. Mas tente. — Ela fecha os olhos e leva os dedos às têmporas, mudando para um tom monótono: "Anna está chegando à Califórnia. Ela e sua amiga Frankie são mágicas e belas, como sereias na água. Elas estão andando na praia e vários meninos estão acenando e babando porque elas são irresistíveis *demais.*"

Ela abre os olhos.

— Está vendo?

— Na verdade, não — digo. — Mas *estou* ficando com muito sono.

— Fala sério, Anna. Você não está se esforçando. Feche os olhos.

Faço o que ela pede e tento imaginar a paisagem que ela desenhou. Ela fala de se deitar ao sol, do cheiro de coco e de escrever cartões-postais para meus pais, e em pouco tempo estou pensando nos cartões-postais. Matt costumava me mandar postais com imagens de leões-marinhos usando óculos de sol ou mulheres bem gordas com biquínis cor de néon. Guardei todos, bem protegidos numa caixa, debaixo de minha cama.

Se ele tivesse me beijado um ano antes, será que eu teria recebido cartas de amor?

— Está vendo? — Frankie bate em minha perna, me trazendo de volta ao presente.

— *Vamos* ver — desfaço-me da imagem dos *beijos* azuis escritos por Matt.

— Anna, isso vai ser ótimo! — Frankie prende nossa lista no painel de cortiça, na parede sobre sua mesa, e procura cigarros guardados na primeira gaveta. Ela só fuma em seu quarto, pela janela. Nunca em público. Nunca na escola. Nunca lá fora. Ela nega sempre que toco no assunto, mas às vezes acho que ela nem gosta de cigarros; só quer mesmo que seus pais a peguem e façam... não sei. *Alguma coisa.*

No mês passado, quando tio Red e tia Jayne sugeriram a viagem para seu lugar de veraneio preferido comigo a tiracolo, Frankie surtou. Ela ficou em silêncio por um longo tempo, e ninguém sabia o que aconteceria a seguir. Era como na escola ou na família depois do acidente, quando as pessoas mencionavam Matt. Sua mente se fechava e vagava. Ou ela ficava com tanta raiva que começava a tremer. Outras vezes, no começo, ela simplesmente corria e caía em prantos. Cair em prantos é diferente de chorar. O pranto consome seu corpo todo e, quando acaba, você sente como se não tivesse ossos para mantê-lo em pé.

Mas ela não caiu em prantos na noite em que falamos sobre a viagem. Só ficou furiosa e saiu como uma tempestade para o quarto, deixando os pais atrapalhados nas desculpas comigo. Dava para ver que era difícil para eles, mas eu não sabia o que mais eles esperavam. À medida que o anúncio saía da boca de Red e caía sobre a mesa, esperando por uma resposta, tudo o que eu podia pensar era *Um ano depois continua sendo cedo demais.*

Contudo, na manhã seguinte Frankie começou a acalentar a ideia e no fim da semana era como se ela tivesse planejado a viagem para a baía de Zanzibar desde sempre, imaginando palmeiras e bons momentos ao sol.

Frankie se ajoelhou diante da janela, abrindo as venezianas e se apoiando contra o peitoril para acender o cigarro. O bracelete vermelho de Matt pendia de seu pulso, brilhando em meio à fumaça e ao sol. Seus pés estavam sujos embaixo, da poeira do verão, e, quando ela se virou para soprar a fumaça para o céu, não consegui me desvencilhar da impressão de que *era* de fato cedo demais.

— Frankie, você acha que a viagem para a Califórnia está indo rápido demais? Quero dizer, cedo demais? — falo baixo. Não tenho certeza se me expressei bem.

— Não — ela diz, jogando a meia bituca do cigarro numa lata velha de Cola Zero e se juntando a mim no chão. — Ainda temos uma, duas... quatro semanas antes que o M.V.T.T. comece de verdade. Isso significa que nosso cabelo crescerá quase dois centímetros — ela mantém a mão sob o queixo, indicando o comprimento esperado. — Além disso, vamos tomar Ultra Quick-Skinny.

— Aqueles milk-shakes falsos? — pergunto. Engolir minha própria língua parece melhor do que tomar milk-shake no café da manhã, almoço e jantar. — Você só pode estar brincando.

— Anna, você *tem* de tomar. Podemos perder uns cinco quilos até lá. Pense nas praias. Pense nos biquínis. — Ela ergueu a camiseta, segurando a gordura não existente em sua barriga. — E — completou, batendo na barriga duas vezes — não se esqueça do A.A.

A.A. — o Albatroz da Anna, do latim *Anna*, eu, e *albatroz*, significando "algo que atrasa ou limita"; por exemplo: "era um albatroz ao redor do seu pescoço". É o código que demos para minha virgindade depois que Frankie perdeu a dela para o estudante alemão após o baile de primavera, há dois meses, tornando-se uma especialista nessas coisas.

— Mas, Francesca — digo, em minha voz com ar de romance —, quero que seja... *especial!* — O que é uma meia-verdade. Bem, talvez um pouco mais. Não mais de 68 por cento. A verdade é que sempre imaginei que seria com Matt. Estava apaixonada por ele antes mesmo de saber como chamar isso, e, depois que ficamos juntos no verão passado, era coisa certa em minha mente. Vi todo o meu futuro naquele primeiro beijo, até a parte em que eu o ajudaria a arrumar as coisas na véspera da escola, e uma coisa leva a outra, e ele me daria um beijo apaixonado de adeus, me derrubando em sua cama, e daí iríamos enfim...

Quando ele morreu, esse sonho morreu também. Meninos? Intimidade? *Esse* tipo de intimidade? Dói demais pensar no assunto. Se eu beijasse outra pessoa, o encanto se perderia e minhas lembranças com Matt e tudo o que o envolvia desapareceriam. *Não, muito obrigada.*

— Especial? Ah, certo! — Frankie joga uma almofada com elefantes dourados bordados em cima de mim. — Eu lhe disse, não é tão bom da primeira vez. É mais um ensaio para a coisa real; um ensaio nu. Peguei Johan porque ele estava indo embora na semana seguinte e eu sabia que jamais o veria de novo.

Peguei Johan. Se eu procurasse *peguei* no dicionário, não encontraria qualquer referência a Frankie e Johan. Teria de seguir adiante, até *perseguir*. Durante todo o ano Frankie intimidou a namorada de Johan, Maria, com olhares maldosos na aula de educação física, deixando bilhetes diários em seu armário e dando uns amassos nos amigos dele no estacionamento para que a notícia o alcançasse. Johan era o único cara não disposto a pôr um fim em seu relacionamento para ficar com Frankie, e isso a deixava perplexa e frustrada. Assim, depois que Maria terminou com ele, uma semana antes do baile de primavera, Frankie fingiu não saber de nada até a noite do baile, quando se aproximou com sua melhor expressão de "Estou Todinha Aqui para Você". Meia hora mais tarde eles saíram para o campo de futebol escuro, fazendo sua dancinha, deixando-me sozinha com um ginásio cheio de adolescentes felizes.

Faz dois meses. Johan voltou para a Alemanha e não respondeu nenhum dos e-mails de Frankie.

Isso não a impede de planejar o fim de minha inocência na próxima viagem. Na mente *dela,* vamos ignorar uma carta direta do Deus das Férias de Verão se eu não me livrar da grande "V" de uma vez por todas em algum lugar da costa do Pacífico.

— Como posso me esquecer do albatroz? — pergunto. — Você fala nisso a cada cinco minutos.

— Só tentando manter a coisa fresca. — Ela se ergue e estende a mão. — De qualquer modo, sua virgindade é o menor dos seus problemas. Vamos: sua casa.

4

Em meu quarto, Frankie filma meu armário com a câmera, com sua melhor voz de locutora:

"Num *mundo* onde os sonhos de verão *se tornam realidade*, Anna e Frankie planejam as férias de suas *vidas*. Haverá *praias*. Haverá *biquínis*. E haverá *rapazes*. Mas algo *se esconde* sob a superfície, ameaçando *arruinar* o M.V.T.T. se essas belas e inteligentes amigas não voltarem sua atenção para a resolução *imediata: o armário de Anna é um pesadelo!*".

De acordo com a incansável busca de Frankie pela menor porção de tecido a cobrir legalmente sua pele, seu traje de verão — e até mesmo os de inverno — está sempre pronto para a praia, exibindo lacinhos, saias curtas e sandálias de tiras pretas.

De acordo com a incansável busca de *minha mãe* pela última promoção, combinada com sua imunidade à moda, *meu* armário — no todo — deveria ser julgado, condenado e enforcado. Sem *nada* bonitinho, curto ou com tirinhas, meu armário abriga uma antologia de itens de promoção e fora de moda dos porões das lojas de departamento nas quais abri caminho por entre pechinchadoras de meia-idade nas araras de calcinhas.

— O que você sugere? — pergunto, tocando nas camisas que pendem diante de nós.

— Nem sei por onde começar — ela vira a câmera para si mesma e encolhe os ombros de jeito exagerado para as lentes. — Pegue tudo e jogue na cama.

Não estou com ânimo para tirar todas as coisas do armário, mas faço o que ela pede. Isso a faz sorrir só um pouquinho, por isso não discuto. Às vezes, quando ela parece feliz assim, eu a observo pelo canto dos olhos e me pergunto se minha melhor amiga ainda está ali em algum lugar, aquela com quem eu encenava elaborados casamentos para nossas bonecas e que me dava mil dólares a mais no Banco Imobiliário para que pudéssemos conspirar contra Matt. Nas trevas pós-morte de nosso relacionamento, não sei se voltarei a ver Frankie de novo. Somos pessoas diferentes agora; se eu a encontrasse na rua hoje, jamais seríamos amigas. Mas de vez em quando seu sorriso volta — ainda que fugaz — e eu a vejo, *a* vejo de verdade, e sei que farei o possível para mantê-la ali um pouco mais, para impedir que ela mergulhe de volta no coma do silêncio que quase a venceu no ano passado.

Mesmo que isso signifique falar de roupas e meninos e dietas de milk-shake em vez das coisas que de fato importam.

"O fiasco do armário de Anna Reiley, tomada um." — Frankie filma enquanto jogo pilhas de roupas na cama. Tenho umas poucas preferidas, algumas fornecidas por frequentes ataques ao armário de Frankie, mas escondo a maioria delas num lugar em que esperam em vão pelo dia em que, como suas irmãs mais estilosas, voltarão à moda.

— Meu Deus, Anna. O que é *isso?* — Frankie larga a câmera para pegar uma calça jeans velha com a ponta dos dedos, como se a peça pudesse transmitir uma doença contagiosa.

— Era minha calça jeans preferida da escola. Tenho boas lembranças dela.

— Anna, zíper no tornozelo nunca é uma boa lembrança. E que diabos é *isso?* Está arruinado!

Minha mão fica seca quando Frankie pega a blusinha do saco plástico que guardei por todo o ano escondida atrás dos sapatos, no piso do armário. Ela tem manchas roxas ásperas e está desbotando do azul original. A princípio eu não queria lavá-la porque ela me fazia lembrar daquela noite e de tudo o que aconteceria em seguida. Depois que ele morreu, não queria lavá-la, me livrar dela ou fazer *qualquer coisa* com ela. Nunca.

— Lixo — diz Frankie, pronta para separá-la.

— Não! — Atiro-me sobre ela, tomo a blusinha de suas mãos com mais força do que pretendia. Ela é a única testemunha da noite em que Matt e eu deixamos de ser apenas amigos para ser o que quer que fosse, e é quase impossível não chorar.

— O que há *com* você, Anna? É só uma blusinha. Você pode comprar outra por cinco dólares.

Não se preocupe. É o nosso segredo.

— Desculpe. — Estou surpresa e feliz por ela não ter se lembrado de nada. Passo meu dedo por uma parte áspera, na alcinha, enquanto uma versão de cinco segundos da luta do bolo se passa em minha mente como um filme em movimento acelerado. *Não chore pela cobertura derramada, Anna.* — É que... eu gosto desta.

— Por quê? — quer saber Frankie.

Basta contar a ela.

— É... É que... — Mordo o lábio inferior.

Conte.

— Anna? O que houve?

Ah, não é nada, mesmo. Só que a blusinha foi usada na primeira vez que seu irmão me beijou e me fez prometer nunca lhe contar. E eu me apaixonei por ele para sempre, e ele deveria lhe contar tudo quando vocês estivessem na Califórnia, e todos viveríamos felizes para sempre. Ainda lhe escrevo cartas no diário que me deu, as quais ele não responde, porque está morto e tal. Alguma coisa além disso? Com sinceridade, não é nada.

— Anna? — Ela me olha de lado de novo.

— Oi? Ah, desculpe. Nada. Estou bem. Eu... Eu vou me livrar dela mais tarde. De qualquer modo, olhe estas. — Engulo em seco, guardo a blusinha atrás de algumas caixas de sapato no armário e pego um par de sandálias do Snoopy. — Você se lembra de quando tínhamos sandálias que combinavam, na terceira série?

— Anna, *tudo* que a gente tinha combinava naquela época. Isto — ela passa a mão sobre as roupas — é moda; moda *Heidelberg*, como você diria. Não sei quando nos distanciamos tanto.

Eu sei. Lembro-me do exato momento em que o pai dela começou a nos deixar no shopping com seu cartão de crédito, dizendo a Frankie que comprasse o que precisasse e que ele voltaria dali a algumas horas. "Nada como um draminha familiar para dar início a um guarda-roupa decente", dizia ela, fingindo não chorar enquanto experimentava pilhas de roupas caras de suas lojas preferidas.

— É *Hinden*burg, Frank. E, se está se sentindo nostálgica quanto a roupas que combinam, você é bem-vinda para se juntar a mim e à mamãe na próxima viagem à Casa de Pechinchas da Shay.

— Deve haver *alguma coisa* salgável aqui.

— *Salvável.* E não há nada.

— É, foi isso o que eu disse. Salvável. Capaz de ser salvo. Além disso, só precisamos mesmo de biquínis, shorts jeans e sandálias. E talvez um ou dois vestidos para sair à noite. Pensando bem, talvez a gente devesse...

Biquíni? Em *público?*

Meu mundo está desabando! Frankie — alta e magra, pele bronzeada, a gordura no lugar certo — vai estar *maravilhosa* na praia. Mas e eu? Imagino minha pele azulada e branca e os braços com sardas pendendo de um biquíni. Ninguém quer ver *isso.* Olho Frankie de cima a baixo e roo a unha do meu polegar. Talvez férias na praia com minha *estonteante* melhor amiga não seja uma boa ideia.

— Acho que não, Frank.

— Anna, ninguém vai nos notar se andarmos por aí vestidas como senhoras. Eles vão pensar que estamos grávidas ou coisa assim.

— Em vez de quererem *nos* engravidar?

— Exatamente.

— Não sei, Frankie. Acho que não...

— Anna, você é linda e sabe disso. Você só precisa parar de ser tão tímida e começar a trabalhar nisso. Passe um batom, ande reto, jogue os ombros para trás, encolha a barriga, empine os seios... e vai dar tudo certo!

No meu filme mental de "trabalhar nisso", saio-me bem com o batom, mas me concentro tanto em ficar reta, com ombros para trás, barriga para dentro e seios empinados que não noto uma prancha de surfe ou um pedaço de madeira na água nem uma criancinha e tropeço, afundando o obstáculo e caindo de cara na areia quente.

— Não vai dar certo — digo.

Frankie sobe na cama e me segura pelos ombros.

— *Vai* dar certo. Acredite em mim. Você é perfeita.

— Você acha mesmo?

CABRUUUM!

Frankie e eu deixamos escapar um gritinho diante do trovão inesperado. Para mim, a mudança repentina no clima é um claro sinal de que o universo *não* me quer usando um biquíni. Conforme o céu escurece e a chuva começa, percebo Frankie olhando pela enorme janela atrás de nós, observando a chuva no vidro. Ela fica olhando por muito tempo, acompanhando as gotas na janela, distante. Às vezes faz isso — como se sua mente se dividisse e um dos lados ficasse ali comigo enquanto o outro vivesse uma vida bem diferente, a distância, com pessoas que não posso ver ou ouvir.

— Ele adorava as tempestades à noite, lembra? — ela sussurra, mais para seu reflexo na janela do que para mim. Faço que sim e apoio a cabeça no ombro dela. Fazia tempo que ela não falava nele.

5

Na manhã seguinte, completamente contra a minha vontade, Frankie pede a tia Jayne que nos deixe no shopping e toma a dianteira até sua loja preferida, a Bling. Tudo lá dentro — incluindo os funcionários — é transparente, emborrachado ou brilhante, ou alguma combinação disso.

Apoiada contra o alto-falante atrás do balcão, uma loira só um pouco mais velha do que nós folheia a *Celeb Style* do mês e balança a cabeça, fazendo corações de prata dançarem sobre seus ombros ao som da música techno atrás dela.

Sem se intimidar por uma mulher de blusinha preta, Frankie bate no balcão.

— Olá! — grita ela contra a música. — Vocês já receberam a coleção de moda praia?

A moça emborrachada, cujo short jeans parece uma calcinha com bolsos, arqueia a sobrancelha para Frankie e aponta com a cabeça para um canto da loja.

— Obrigada — diz Frankie.

— De nada. — A moça emborrachada vira a página e solta um suspiro de "ah! a-minha vida é tão dura".

Por sorte mamãe não estava ali para testemunhar o diálogo, senão ela chamaria a gerência da Bling para falar sobre como a falta de profissionalismo da moça emborrachada reflete em toda a indústria da confecção.

— Ela é nova — explica Frankie, me puxando para o canto que a moça indicou com tanta amabilidade.

Depois de me entregar a câmera com instruções explícitas para eu continuar filmando, Frankie respira fundo e se põe a trabalhar. Ela abre caminho em meio a araras de roupas de banho, chafurdando como uma mãe antílope para seus filhotes que morrem de fome, passando por cores e estilos que são "tão ano passado" ou "tão blá-blá-blá para a praia". Quando encontra algo surpreendente, toca no tecido para simular um dia de ondas e o segura contra a luz para garantir a transparência.

Depois de quinze minutos de caça, Frankie emerge das araras com duas pilhas. Uma unha quebrada e um ligeiro cansaço são suas únicas cicatrizes da batalha.

— Você pega esta metade, depois trocamos. — Ela me passa uma pilha de roupas de elastano cintilante, brilhante, ao entrarmos nos provadores e nos escondermos em cabines vizinhas.

— Acho que devemos ficar com os pretos — digo para Frankie ao abrir a porta do provador e lhe mostrar um horrível maiô alaranjado largo em minhas costas, o terceiro e terrível traje que experimentava. — Era para emagrecer.

— Todo mundo usa preto — retruca Frankie —, e não precisamos emagrecer. Precisamos de algo divertido. Algo... ui! Não tão divertido *assim*.— Ela me empurra de volta para o provador antes que qualquer passante pudesse associá-la à monstruosidade alaranjada do provador A.

— Continue tentando, Anna. Você vai encontrar algum.

Cinco outros maiôs, cinco rejeições. *Tudo bem, talvez o maiô amarelo do ano passado com colar de margaridas tenha potencial.*

— Frank, impossível. Não basta eu usar meu...

— Não! — ela ordena, saindo de sua cabine. — Você não vai mencionar aquele maiô amarelo de novo. Acho que encontrei um de que gosto. Venha ver.

Abro minha porta. Frankie é uma miragem sob o brilho artificial do provador.

Ela abre a cortina para revelar um biquíni azul-bebê preso no pescoço e no quadril e que cobre o suficiente para atiçar a imaginação de todos. Aquele biquíni foi feito para ela; prova disso foram as mães e filhas em volta dela, como ovelhas desgarradas buscando orientação em meio aos pastos da coleção de verão da Bling.

— Ah, meu Deus! É isso mesmo! — Saio de meu provador e a abraço como se estivéssemos experimentando vestidos de noiva. — Você está maravilhosa!

— Ele me faz parecer gorda? — Ela toca a parte de baixo e se volta para olhar seu bumbum e barriga no espelho. — E minhas costelas gigantes? Tenho costelas de homem.

Uma das mães ri.

— Querida — diz a mulher —, se eu tivesse este corpo, iria para a praia nua.

Frankie sorri. As outras mães concordam. Uma menininha fica olhando. Celeb Style, *aí vamos nós*.

— Frank, é maravilhoso. Você *tem* de comprar este biquíni.

— Você acha? Tem certeza?

— Sim — dizemos, a ovelha perdida e eu.

— Certo, desde que você esteja sendo honesta.

— Ah, meu Deus, se você não comprar este biquíni, não vou para a Califórnia.

— Certo, certo! Vou comprá-lo. Enquanto isso, aqui. — Ela volta ao provador e pega um cabide com um biquíni verde-oliva. — Acho que encontrei um para você também. Sei que você é um pouco mais conservadora para essas coisas.

Trancada em minha cabine, tiro a roupa de novo e me preparo para outra dolorosa e previsível rejeição. *Se este não ficar bom, vou para o Alasca. Lá ninguém precisa de biquíni.*

Visto, estico e amarro as várias partes sem me olhar no espelho. Ao examinar o esmalte Cotton Candy nas unhas de meus pés, imagino-me andando pela praia com meu maiô amarelo e infantil ao lado de Frankie, Rainha do Verão, em azul-bebê. Vou ser a coadjuvante. A reserva. A segunda porção. A segunda opção.

Minha cabeça dói.

— E aí? — Frankie bate na porta. — Vestiu?

Destranco a porta e a abro, ainda com medo de me olhar no espelho.

— Uau. *Uau.* Anna, meu Deus. Uau!

— Ruim? — sussurro.

— Ah, vem cá. — Antes que eu possa dizer alguma palavra, Frankie me agarra pelo pulso e me empurra para o principal provador, diante do espelho triplo. Por sorte, as ovelhas haviam debandado. — Olhe. — Ela me empurra. Encaro meu reflexo. A menina no espelho me encara. Não a reconheço. — Anna, você vai comprar este biquíni.

— São oitenta dólares.

— Anna, você vai comprar este biquíni.

— Mas eu...

— Anna, você vai comprar este biquíni. É isso.

Viro-me e me contorço para encontrar alguma falha crítica que me obrigue a abandonar o traje, mas não encontro nada. Não no sutiã, que é amarrado no pescoço como o de Frankie. Não na tanga, que faz minha barriga parecer retinha e se ajeita sobre meu quadril como uma segunda pele.

— Está vendo? Eu disse que você está maravilhosa! — comemora Frankie.

— Que seja. — Ainda estou me acostumando à ideia de mostrar meu umbigo de propósito.

— Ah, meu Deus — grita Frankie. — Anna, acabo de ter a melhor ideia *de todos os tempos.*

— Ótimo. Vou pedir a mamãe para reservar o dinheiro da fiança.

— Não, escute. — Ela me abraça e abaixa o tom de voz. — É sobre o albatroz. — Sua sobrancelha parece dançar enquanto ela se agita de modo sugestivo.

— Ah, certo. Seu projeto. — Estou ao mesmo tempo intrigada e com medo, uma combinação à qual me acostumei no último ano com Frankie.

— É perfeito. Estaremos na Califórnia por vinte e três dias, certo? — Ela faz cálculos com os dedos, olhando para o teto para se concentrar. — Se dermos três dias para a chegada, exploração e estratégia, restam dezoito, dezenove, *vinte.* Vinte dias, nem mais nem menos.

— Vinte dias para *quê?*

— Vinte garotos.

Acho que ela está brincando, mas seus olhos estão determinados. Preciso deter essa loucura antes que nos compre um pacote de camisinhas na farmácia.

— Frankie, não vou dormir com vinte caras. Nem você!

Ela ri.

— Que é isso, Anna? Só quis dizer que, se *conhecermos* um garoto por dia e fizermos um test-drive, com certeza você poderá se livrar do A.A. em algum momento, certo? Podemos até mesmo fazer uma competição. Quem conquistar mais garotos em potencial vence.

Apesar de a Anna no maiô amarelo jamais concordar com uma disputa tão escandalosa, a menina louca no espelho usando o biquíni verde-oliva não resiste ao sorriso sincero de Frankie. É um sorriso de orelha a orelha, quase atravessando seus olhos azuis, e, antes mesmo que eu pudesse *pensar* no quanto a ideia era ruim, nossa missão é ativada.

— Vinte dias — digo, alegre com seu entusiasmo duradouro. — Vinte garotos. Estou dentro.

Frankie arqueia a sobrancelha e dá mais uma olhada aprovadora em nossos biquínis.

Sorrio e aprovo também. Desafio aceito.

Entra o locutor de cinema.

Em algum lugar no litoral da Califórnia, um vento estranho sopra no oceano, e vinte garotos sem pensar desviam ao mesmo tempo o olhar de suas pranchas de surfe.

6

À medida que os dias se transformam em apenas horas antes da viagem, sempre que penso na disputa dos vinte garotos de Frankie não posso ignorar a sensação em meu estômago, acompanhada da expressão que Matt faria, pálido e decepcionado.

Nunca a vi num biquíni, imagino-o dizendo.

Você não viveu o suficiente para isso, penso.

Mas vinte, Anna? Tem de ser vinte? Que tal cinco? Ou três? Ou um?

Por que você se importa? Você está morto, lembra?

Balanço a cabeça e guardo na bolsa as últimas coisas de minha lista. A não ser que papai mude de ideia na última hora, vamos viajar amanhã pela manhã.

— Meninos mortos não falam, Anna — digo em voz alta. — Lembra?

— O quê? — Mamãe bate na porta e já vai entrando em meu quarto. — Você disse alguma coisa, querida?

— Ah, não. Só estava revendo minha lista.

Vejo papai atrás dela e espero que os dois não estejam ali há muito tempo. Depois, percebo o olhar sério deles e engulo em seco, esperando que estejam ali para me lembrar do protetor solar e do salva-vidas, além de me orientarem a ser uma menina comportada na presença do tio Red e da tia Jayne.

— Podemos conversar por um minuto? — Papai pergunta, ajeitando-se na cadeira.

— Humm, tudo bem. — Tiro e dobro coisas da bolsa para dar a impressão de que estou ocupada.

— Então a Frankie está fumando de novo — diz ele.

Não sei se é uma pergunta ou uma afirmação, por isso me faço de boba.

— Como assim?

— Vim para casa mais cedo hoje e a vi — ele continua.

Papai é corretor de imóveis, por isso sua agenda é imprevisível. Frankie deveria saber — sua janela dá para nossa casa. Faz alguns meses que ele a pegou fumando e me deu uma bronca por causa do *meu* hábito, que não existe, de fumar e me fez prometer que a faria parar.

— Ela só... ela achava... é que... não sei, papai. — Eu desisto. A única justificativa em que consigo pensar é a verdade: ela está destruída. Até que alguém descubra como consertá-la, o que mais ela *pode* fazer?

Papai suspira.

— Anna, você acha que a viagem é uma coisa que a família Perino precise fazer junto, como uma *família*?

— Eles *vão* viajar como uma família — confirmo. Essa linha de raciocínio me deixa nervosa. Quando os Perino me convidaram, foi necessário convencer papai a me deixar ir. Antes da morte de Matt, meu pai tinha dificuldade para aceitar atividades "perigosas", como me ver saindo de cabelo molhado no inverno, tirar o tênis sem desamarrar o cadarço e ir para a cama sem passar fio dental. As coisas pioraram depois do acidente, e eu de fato achava que papai me negaria uma viagem de verão do outro lado do país — principalmente reforçando seus comentários sobre passar tempo demais na companhia de Frankie. Mas, depois de um argumento convincente, citando minhas notas finais e me comprometendo a fazer as lições de casa adicionais sem que me pedissem, eu o venci. Depois disso, sempre que alguém falava na Califórnia eu mudava de assunto. Como eu disse a Frankie, até que estivéssemos no avião meu pai ainda podia mudar de ideia quanto à viagem.

— Eu sei que eles vão como família — reiterou papai. — Eu quis dizer... sem a vizinha deles pegando no pé.

Ele diz "a vizinha" como se eu fosse uma craca que nem mesmo produtos químicos industriais poderiam remover do corpo de sua tragédia familiar.

— Papai, ela precisa de mim lá, sabia? — digo, obrigando-me a manter a voz firme, pensando na "visualização positiva" de Frankie. *Estou na praia. Há meninos babando e cartões-postais e algo sobre belas sereias...*

— Eu entendo, Anna. Só que... Você já parou para pensar que talvez Frankie não esteja melhorando... porque você não *deixa*?

Tento pedir ajuda para mamãe, mas seus olhos estão repousados em mim, ansiosos, como se a qualquer minuto eu percebesse a lógica irrefutável deles e desfizesse minha mala. Sei que mamãe e papai se preocupam com Frankie, mas não foram eles que se esconderam no andar de cima com ela nas semanas seguintes à morte de Matt, enquanto parentes bem-intencionados e amigos apareciam, trazendo infinitos cartões, alimentos e dizendo as coisas erradas: "Ele está num lugar melhor, agora"; "Deus deve ter um plano para ele"; "Pelo menos ele não sofreu"; "Você ainda é jovem, Jayne, talvez possa ter outro filho"; "Você deixará de pensar nele se tirar todas as fotografias de vista". Eles não estiveram ao lado de Frankie enquanto ela chorava durante horas a fio. Eles não foram ver se ela estava se alimentando mesmo sem fome. Eles não fizeram sua lição de casa quando ela não conseguia se concentrar nem explicavam à professora por que ela chegava atrasada em todas as aulas.

— Como você sabe que Frankie não está melhorando? — perguntei.

— Anna — ele falou, com delicadeza —, só estou dizendo que, desde que você esteja por perto, Red e Jayne não precisam se preocupar com a filha. Você está fazendo isso por eles. E a três mil quilômetros de distância, numa viagem, vai ser bem difícil para eles. Isso complica as coisas. Só queremos ter certeza de que você está preparada para lidar com isso.

Lidar com isso? Eles não só reduzem o estado emocional de minha amiga a algo parecido com uma coceira irritante como plantam uma nova semente em meu cérebro já atribulado.

Será que é por minha causa que Frankie não está melhorando?

Desde a morte de Matt, a Terra deu mais do que uma volta completa ao redor do sol — tempo de sobra para superar, de acordo com os livros e terapeutas e conselheiros escolares que tentaram falar comigo sobre meu papel de "protetora" na vida de Frankie.

Mas Frankie até agora não superou.

Eu não superei.

Não quero falar nisso, porque um dia o nome Matt sairá de meus lábios na presença dela e, rubra, de olhos marejados, com a respiração profunda ou com uma única lágrima no rosto, o segredo que eu deveria manter para sempre será revelado.

— Querida — diz mamãe. Ela me olha com sua expressão de "Você pode conversar comigo", que só é um pouco mais tolerável do que a cara dela de "Eu também já fui jovem". Ao contrário da expressão ETJFJ, que em geral significa que ela sabe o que estou tramando e é melhor não mentir, a expressão VPCC é metade culpa e empatia com um punhado de "ainda somos amigas?" e "seu pai não é uma pessoa má". — O papai e eu só estamos preocupados com a Frankie. Sabemos que ela está sob pressão, e você está administrando emoções difíceis, com as quais Red e Jayne talvez devessem se envolver mais.

Penso em tia Jayne sempre comprando objetos de decoração com o cartão de crédito de tio Red.

— Bem, eles *não estão* envolvidos.

— Sabemos disso, Anna — retruca papai. — É por isso que a mamãe e eu estamos preocupados. A Califórnia vai ser difícil para eles, e sabe lá como isso afetará Frankie. Você talvez vá precisar ser o elo forte ali, certo?

Reprimo uma risada, lembrando algo que Matt me dissera em seus últimos dias de vida. Frankie estava trabalhando de babá e Matt e eu estávamos no quarto dele separando os livros e discos em pilhas de "ficar em casa" e "levar para a faculdade".

— Sei que não estou indo para longe — disse ele, remexendo nos CDs que ficariam em casa —, mas estou preocupado com a Frankie, não quero que ela pense que não a desejo por perto ou que ela está sozinha. Acho que vai ser difícil quando ela ficar sabendo de nós. Você terá de ser o elo forte, Anna.

— Como? — Finjo ignorar sua ideia de que nós, as meninas, não sobreviveríamos à falta de sua presença superprotetora. — Não é como se você fosse para a guerra. Acho que podemos lidar com a situação.

— Eu não quis dizer *isso* — ele conserta, se aproximando de mim na cama e segurando meu rosto.

Olhei para ele fingindo estar magoada. Depois o abracei, puxando-o para a cama com outro beijo.

— Quem é o mais forte agora? — perguntei.

— Certo, você venceu. Você venceu — ele riu. Fiquei em cima dele, descansando minha cabeça em seu peito enquanto ele brincava com meus cabelos até que Frankie voltasse para casa.

— Anna? — chama papai, interrompendo minhas lembranças. — Você está bem?

Faço que sim com a cabeça.

— Eu *sou* o elo forte, papai.

— Eu sei, Anna. Mas...

— Deixando isso de lado — interrompe a mamãe —, acho que a viagem vai ser boa para você também. Ela pode ajudá-la, não sei, a *revisitar* Matt de novo. Faz sentido? — ela me olha com tanta compaixão que, por um segundo, esqueço que se trata de minha mãe e penso que ela *sabe,* como se meus sentimentos estivessem expostos em meu rosto e tudo o que ela precisasse fazer fosse tirar meu cabelo de lado para lê-los.

— Sim — respondo, na esperança de que eles não percebam meu rosto queimando.

— Certo. — Papai se levanta da cadeira. — Termine e vá para a cama. Você vai acordar cedo amanhã.

Até que enfim.

Os temores pré-viagem se desfazem, eu os abraço e reviso minha bolsa. Tudo parece em ordem. Só há um problema.

Não consigo tirá-lo de minha mente.

Desligo a luz e acendo a luminária de leitura. Encolhida na cama, vejo a chuva que cai na janela e torna tudo lá fora ameno e embaçado.

Penso no mar de novo e olho para os potes cheios de vidros coloridos que ganhei de Frankie e Matt, do outro lado de meu quarto.

Matt podia ter morrido de mil maneiras diferentes, mas, sempre que olho para os potes, repasso a história de nossa amizade à procura de coisas que teria feito diferente ou dito antes para interromper a sequência de eventos que levaram àquele dia no carro, o dia em que seu coração parou. *Oi, Matt, estou apaixonada por você. Não vamos tomar sorvete hoje. Vamos só procurar um lugar para nos escondermos.*

Quando éramos "apenas amigos", eu costumava escrever sobre ele no meu diário, que me acompanhava aonde quer que eu fosse. Escrevia sobre como sair com ele e Frankie no fim de semana, sobre ele parar na frente de meu armário entre as aulas ou sobre os livros que ele me dava para ler para que pudéssemos conversar sobre eles mais tarde. Apenas algumas vezes eu admitia meus sentimentos por ele no papel — tinha medo de que alguém encontrasse meu diário e lhe revelasse meus segredos.

Escrevi minha primeira carta para ele naquele diário que me deu de presente — mesmo que eu não quisesse que ele a *lesse.* Foi depois que ele me beijou no quintal de casa, quando eu já estava sozinha no quarto, com todas as células do corpo vibrando, ainda o sentindo em meus lábios. Imprimi a foto que papai tirou depois da guerra de bolo e a colei dentro da capa roxa do diário, com a legenda "Feliz Aniversário".

As semanas seguintes foram um borrão de felicidade, encontros secretos à meia-noite, conversas sobre o restante do verão, sobre como ele me escreveria todo dia da Califórnia, como Frankie e eu o levaríamos para Cornell com os pais dele... Eu queria estar com ele o tempo todo, em cada segundo que estivesse acordada. Vê-lo e conhecê-lo sob a nova luz da nossa relação — no que quer que ela se transformasse —, de forma diferente dos anos da nossa infância como melhores amigos.

Não tive tempo para pensar no que estava acontecendo, muito menos de escrever cartas que ele nunca leria.

Alguns meses depois de sua morte, comecei a lhe escrever de novo — de vez em quando. Não como uma comunicação com os mortos, mas de um jeito que me ajudou a me sentir próxima dele, ainda mais depois de uma noite difícil com Frankie ou nas noites em que não conseguia deixar de pensar nele.

Como nesta noite, véspera da nossa partida — para as férias familiares que começariam cedo demais e para as quais faltava alguma coisa.

Querido Matt,

Em menos de um dia estarei na mesma areia que você pisou tantas vezes. Bem, não a mesma areia, com as marés, o vento, a erosão e tudo o mais, mas a mesma areia em termos simbólicos. Estou tão empolgada e assustada que não consigo dormir — mesmo tendo de acordar daqui a cinco horas!

Sabe, guardei todos os seus cartões-postais. Eles estão numa caixa embaixo da minha cama — todas as histórias que você mandou, como se fossem pedacinhos da Califórnia. Como o vidro do mar que vocês sempre me traziam. Às vezes os coloco na mesa e os pressiono contra os meus ouvidos, tentando ouvir o oceano. Tentando ouvir você.

Mas você não diz nada.

Lembra quando você voltava das férias na praia e me dizia como se sentia? Como o mar soava ao nascer do sol, quando a praia estava deserta? Qual era o gosto do seu cabelo e da sua pele depois de nadar na água salgada o dia todo? Como a areia queimava seus pés enquanto você caminhava, mas, se você enfiava os dedões do pé nela, era fria e úmida lá embaixo? Quando você passou três horas sentado na Ocean Beach só para observar o sol mergulhar na água a milhões de quilômetros? Se eu fechasse meus olhos enquanto você falava, era como se eu estivesse lá, como se suas histórias fossem minhas histórias. De várias formas, sinto como se suas memórias de lá fossem também minhas. Será que sou louca?

Matt, não se sinta mal quanto ao comportamento da Frankie. É apenas um joguinho tolo. É tão típico dela, não acha?

Não, acho que você não acha. Você a mataria se pudesse.

Ela sente a sua falta. Todos nós sentimos. Vou cuidar dela também. Prometo.

Por favor, cuide de nós amanhã e nas semanas seguintes, enquanto estivermos fora. Você vai habitar meus pensamentos o tempo todo, como sempre.

Vou encontrar alguns vidros vermelhos para você.

Sinto tanto a sua falta... mais do que você imagina.

Com amor,

Anna

Passo os dedos pelo nome dele e fecho os olhos, imaginando que, quando chegarmos à Califórnia, ele estará lá esperando por nós, sorrindo com seu cabelo cheiroso de maçã e seu colar de vidro azul.

7

— Até daqui a algumas semanas. — Mamãe me abraça, despedindo-se na entrada da casa dos Perino. — Ligue de vez em quando e não se esqueça de nos enviar cartões-postais.

— Vou ligar, mas não vou mandar postais.

— Lembre-se do que eu disse sobre o protetor solar e sempre nade onde um salva-vidas possa vê-la e ouvi-la — papai recomenda. — O mar pode ser perigoso, principalmente durante as férias, quando as praias estão cheias.

— Papai, já falamos disso. Além do mais, você odeia férias — provoco. — Como você sabe de que jeito é a praia?

— Não odeio férias — ele contesta. — Na verdade, sua mãe e eu estávamos falando em planejar *nossas* férias familiares para o próximo verão.

Em meus dezesseis anos como "membro oficial desta família", nunca saímos de férias de verdade. Numa tempestade de indisposições estúpidas, papai tem medo de voar, mamãe não suporta longas viagens de carro e ambos têm problemas com água sem cloro. Claro que já fizemos o circuito local — o condado Amish, o zoológico, o Parque Estadual OakRidge —, qualquer coisa citada no guia de turismo de Nova York e que fique a menos de duas horas de distância.

Mas nenhuma experiência empolgante e capaz de mudar a vida para descrever na redação de outono. Nenhum destino exótico do qual eu pudesse enviar cartões-postais.

Queridos Frankie e Matt,
Aqui estamos nós... no zoológico!
Nem precisamos ficar enjaulados com os leões.
Os macacos sentem a sua falta.
Com amor, sua vizinha viajante,

Anna

— Claro, papai — digo, sorrindo. — Parece divertido. — Dou nele e em mamãe mais uma rodada de abraços antes de me sentar no banco traseiro com Frankie. Depois de algumas palavras com Red e Jayne sobre cuidar das plantas e da correspondência deles enquanto estiverem fora, mamãe e papai afinal nos deixam partir.

Observo pela janela de trás enquanto meus pais acenam do jardim e ficam cada vez menores conforme nos afastamos. Em menos de meio dia estarei desembarcando do avião, a mais de três mil quilômetros de distância, onde eles jamais estiveram. Por um minuto penso em suas estranhas aflições antiviagem antes de perceber que jamais estive num avião e que posso muito bem ser amaldiçoada com o mesmo temor de voar que mantém os pés de papai bem presos ao chão.

— Não se preocupe —Frankie me tranquiliza quando confesso minhas preocupações. Ela está usando maquiagem, os cabelos perfeitos, uma bela calça de viagem e uma camiseta rosa simples —, é mais seguro do que ir de carro.

Olho para as sobrancelhas dela e sinto uma pontada de dor no pulso — fantasma de velhas feridas. Ela não percebe.

O sol está surgindo no horizonte enquanto Red entra na estrada. Ele se alterna entre procurar por notícias ou saber a previsão do tempo no rádio e conversar com a esposa, Jayne. Ela esteve distante durante toda a manhã — meneando a cabeça e sorrindo, educada mas preocupada. Sigo a dica de Frankie e continuo nossa conversa, como se fôssemos uma família normal em férias normais.

Frankie me conta os planos: quanto demora o voo até São Francisco, o que fazemos ao pousar, a viagem até Zanzibar, onde almoçaremos, a que horas devemos chegar em casa.

Não são nem seis horas da manhã e eu já me sinto como se estivéssemos viajando o dia todo.

No aeroporto, fazemos o check-in, despachamos a bagagem e seguimos as placas até o portão de embarque.

— Não acredito que tenho dezesseis anos e nunca passei pela segurança do aeroporto — comento ao tirar os sapatos e colocá-los na esteira ao lado dos sapatos de Frankie. — Sou tão protegida.

— Primeira vez numa máquina de raio X, primeira vez num avião, primeira vez na Califórnia... Estou vendo um sinal aqui, Anna. Sabe, *primeira vez?* — Frankie arqueia as sobrancelhas e passa pela máquina. Se os pais dela ainda não tivessem passado pela segurança, esperando por nós do outro lado, eu pegaria meu sapato da esteira e bateria nela ali mesmo.

O segurança leva alguns minutos a mais com seu aparelho manual para fazer o rastreamento em Frankie, antes de me deixar passar.

— Uma pena — divago, pegando meus sapatos e tirando o cinto. — Acho que trouxe o maiô errado. Sabe o *amarelo?* Com *flores?*

— É melhor que você não esteja falando sério — ela parece espantada.

— Acho que vamos descobrir quando chegarmos à praia.

— Descobrir o quê? — pergunta o pai dela ao nos reunirmos.

— Nada — responde Frankie. — Onde está a mamãe?

— Banheiro — Red aponta para o cartaz azul e branco no corredor.

— De novo? É a quarta vez desde que fizemos o check-in. — A mamãe está bem?

— Ela está bem, meninas. Só um pouco nervosa antes da viagem, é isso. — Tio Red coloca as mãos nos bolsos e olha para os banheiros. — Só um pouco nervosa.

Frankie pendura a mochila num dos ombros.

— Podemos ir até a praça de alimentação? É bem ali.

— Claro, querida. Nós as encontraremos lá num minuto.

Frankie e eu encontramos um Jack's Java e pedimos smoothie de chá-verde e muffins de amora light, o mínimo que podemos fazer para manter nossa perda estimada de um quilo na dieta abandonada do Ultra Quick-Skinny.

— Não acredito que o aeroporto tenha uma lavanderia a seco e um Jack's Java — admiro-me, experimentando o smoothie. Embora já tenha ido ao aeroporto buscar parentes com mamãe e papai, nunca tinha estado lá dentro. Ao som dos anúncios e chamadas de embarque para destinos exóticos, pais acompanham filhos, pessoas gritam em celulares e amigos se lembram das férias antes de entrar nos aviões que os levarão de volta para casa. É como um mundo subterrâneo secreto — um fluxo constante de chegadas e partidas, encontros e separações, olás e adeus, antes e depois.

— Eles têm de tudo aqui, até um spa — Frankie me conta. — Dava para morar no aeroporto.

— Não fizeram um filme sobre isso?

— Se não fizeram, deveriam. Pensando bem, *nós* deveríamos — Frankie pega a câmera na bolsa e começa a fazer sua voz de entrevistadora. — M.V.T.T., primeiro dia. Partida. Anna Reiley, em sua primeira vez num aeroporto, toma um smoothie enquanto espera seu voo para a Califórnia. O ar está cheio de empolgação enquanto Reiley devora os últimos pedaços do seu muffin light. Senhorita Reiley, como se sente ao ver como funciona um aeroporto por dentro?

— Bem, Francesca, estou mesmo empolgada, já que nunca estive num aeroporto antes, como você sabe. E eu me arrependeria se não contasse aos espectadores o quanto estou feliz por viajar com a renomada Francesca Perino e seus adoráveis pais. Não sei como agradecer-lhes. Obrigada a *você*, Francesca. Gostaria de agradecer também aos meus pais, por me deixarem vir ao aeroporto, e à Academia, por acreditar que eu conseguiria. Obrigada. Obrigada a todos. Por favor, sem mais perguntas.

— Não, eu é que *lhe* agradeço, Senhorita Reiley — Frankie vira a câmera para si mesma. — Aqui é Frankie P., ao vivo do aeroporto, desligando.

— Você é maluca.

— Estaria tremerosa e me arrepindaria se não concordasse.

— *Temerosa* e me *arrependeria.*

— É, isso aí.

Red e Jayne nos pegaram em frente ao Jack´s, pediram dois cafés para viagem e nos guiaram até o portão de embarque. Depois de tomar o café forte, Jayne parece melhor. Ela ri quando Frankie e eu lhe mostramos a falsa entrevista.

Ainda temos uma hora antes do embarque, então Frankie e eu passamos o tempo escrevendo histórias em meu diário sobre outros passageiros na área de embarque. Escrevemos sobre Duane Durstein — corretor de seguros pervertido que trai a esposa; Gloria Masterson, dos Masterson de Boston (fortuna antiga), que há algum tempo desprezou sua família depois que ela se recusou a aceitar seu amor pelos poodles; e Mickey, menino de seis anos com orelhas de abano que se recusa a ouvir a mãe. Na verdade, esta última parte não é inventada — a mãe do menino também o chama de Mickey. Antes que pudéssemos falar da mulher da blusa com estampa da bandeira norte-americana, o funcionário da companhia aérea chama o número do nosso voo.

— Somos nós — avisa o pai de Frankie. — Vocês estão prontas?

Sorrio. Estou *tão* pronta.

Antes que eu perceba, estou ao lado de Frankie, na fila 14, sentada na janela, ouvindo com atenção às instruções dos comissários e lendo o cartão de segurança convenientemente localizado no bolso de meu assento. Tudo é novo para mim — banheiros a dez mil metros de altitude, lanchinho de graça, comissários. Sou uma criança com os olhos arregalados e o sorriso tolo, recém-liberta da floresta pelos lobos que me criaram.

Pego o diário na bolsa para escrever sobre tudo o que vejo e percebo no avião, em pânico, que minha bolsa não está tão cheia quanto deveria.

— Ah, *não*! — minha pulsação acelera.

— Anna, o que foi? — pergunta Frankie. — Nervosa?

— Deixei meu diário no balcão quando entreguei a passagem!

— Tem certeza? — Ela remexe em minha bolsa para confirmar.

— Sim! Eu me lembro de retirá-lo para pegar a passagem! — Estou quase chorando.

— Não se preocupe, ainda estamos no portão de embarque — Frankie aperta o botão para chamar um comissário. — É bem provável que possam pegá-lo para você.

— Frankie, não *posso* perdê-lo! — Os passageiros nas filas próximas nos olham com um ligeiro interesse e eu começo a respirar com dificuldade. *Estou morrendo! Como todo mundo pode estar tão calmo?*

— Está tudo bem? — pergunta uma aeromoça usando terninho azul-marinho. Darcy, de acordo com seu crachá.

— Alguém entregou um diário roxo? — pergunta Frankie. — Ela o deixou no balcão antes de entrarmos no avião.

— Vou dar uma olhada para você — responde Darcy, sorrindo.

— Está tudo bem, Anna. Respire fundo. — Frankie dá um tapinha em minha mão.

Depois de um intervalo que parece ter durado três dias, Darcy volta a nossa fileira, com o diário na mão.

— É esse? — pergunta. — Um dos passageiros entregou para Meg, ali na frente.

— É! — Pulo por cima de Frankie e da passageira no corredor, praticamente tomando o diário das mãos bem cuidadas da mulher. — Muito obrigada — digo, folheando as páginas para garantir que nada tenha sido amassado, manchado ou estragado durante nossa breve, mas dolorosa, separação.

— Melhor agora? — pergunta Frankie.

— Sim. Você não tem ideia.

— Tenho. Eu ficaria louca desse jeito se perdesse meus filmes. — Ela sorri e liga o iPod no álbum duplo da Helicopter Pilot que baixamos na noite anterior.

Viro-me para a janela, mantendo o diário no colo. Não vou mais tirá-lo de perto de mim.

Na metade do percurso, descolo o rosto da janela e percebo que não senti nenhum dos sintomas do temor de voar sobre os quais papai me alertara — náusea, mãos e pés úmidos, coração acelerado, nós dos dedos esbranquiçados, reações exageradas (exceto quando perdi meu diário, um acidente que superei rápido). Vejo o país todo passar lá embaixo — rios, lagos, montanhas que parecem dobras no chão e a colcha de retalhos amarela e verde da região central dos Estados Unidos.

— Olhe, Anna, lá está a ponte Golden Gate. — Frankie se inclina sobre mim para apontar a enorme ponte alaranjada no horizonte. Atrás dela está o Pacífico, pontuado pelo branco das ondas e pelos triângulos coloridos dos veleiros.

Adoro tanto o voo e a paisagem que, se tivéssemos de dar meia-volta e ir para casa de imediato, sentiria que tive férias completas.

É quase uma da tarde quando enfim saímos do avião, ainda que sejam apenas dez horas na Califórnia. Depois de recuperarmos a bagagem, pegamos nosso carro alugado e vamos para a autoestrada Pacific Coastal. Em menos de duas horas estaremos na baía de Zanzibar — local do M.V.T.T.

Assim como no avião, Frankie me deixa sentar no lugar com a melhor vista. Abro a janela e observo o mar — uma sequência eterna de azul e verde. O humor no carro é uma mistura de empolgação e tristeza, alternando ondas de sorrisos e risadas quando a família de Frankie aponta para vários lugares e brinca com minha perplexidade diante da estranheza de tudo, seguidas pelo silêncio — a melancolia se infiltrando nos lugares que Matt deixou para trás.

Apesar de me sentar junto deles nas sessões com o orientador da escola, apesar dos ataques de Frankie na sala de estar, apesar das esquisitas refeições familiares e feriados nos quais ninguém falava e eu podia ouvir o tilintar dos garfos contra os pratos, estar no carro com os Perino vendo as cenas que passavam pela estrada despertarem lembranças após lembranças, não confessadas e invisíveis, foi a coisa mais difícil que enfrentei desde o funeral de Matt.

Você terá de ser o elo forte, Anna.

— Vocês querem encostar e dar uma olhada na paisagem? — pergunta o pai de Frankie depois de uma hora na estrada, trocando de faixa até parar em um mirante. Nosso carro é o único por ali, um trecho de areia com um pequeno estacionamento e uma mesa de piquenique.

Frankie e eu vamos até a beirada do abismo enquanto Jayne tira rosquinhas e caixas de suco de uma mochila de nylon e as coloca sobre a mesa de piquenique. Nós nos apoiamos sobre a grade de proteção e jogamos pedrinhas no abismo, cada qual se quebrando em pedrinhas menores e poeira que se dissolve no mar. Se não fosse o rochedo de dolomita, de acordo com o cartaz informativo atrás de nós, a base do abismo teria se erodido no mar há milhares de anos, e Frankie e eu não estaríamos suspensas com tanta perfeição sobre a água.

Seguro-me na proteção e olho para baixo. As ondas me deixam tão tonta que preciso fechar os olhos e fazer uma contagem regressiva para me recompor. Respiro fundo, sentindo o cheiro e o sabor do sal marinho em minha pele, e me lembro de Matt descrevendo a mesma sensação em tantos cartões-postais.

Anna, quando você conhece o mar, você o sente mais do que o vê. Se tiver sorte, essa perplexidade nunca desaparece e você a sente de novo todas as vezes em que retorna. Você sentirá isso algum dia.

— Meninas — chama tia Jayme da mesa de piquenique —, não cheguem tão perto da borda! Voltem e bebam alguma coisa. Temos mais três semanas para aproveitar a vista.

Abro os olhos e aperto de leve o braço de Frankie.

— Vamos — digo.

— Espere, Anna, você ouviu isso? Escute.

— O quê? — parece um latido.

— Olhe! As focas. — Ela aponta para uns dez metros abaixo na praia, onde mais ou menos uma dezena de formas marrons se remexe e brinca na areia, "latindo" como uma espécie de cão d´água.

— Uau! — respiro. — Estou mudando minha resposta.

Anna, qual a coisa mais legal que você viu na vida?

Ele me perguntou isso certa noite, cerca de uma semana depois de meu aniversário, quando vimos três estrelas cadentes seguidas nos fundos de sua casa. Passava da meia-noite e todos estavam dormindo, exceto os grilos. Eu me lembro de lhe contar sobre uma incrível tempestade que vi aos dez anos. Estava distante, mas eu podia ver a chuva se aproximando, o céu escuro se iluminando, relâmpago após relâmpago.

Qual a sua?

Sempre é o mar. Mas estou pensando em mudar minha resposta.

Ele não disse nada depois disso. Só olhou em meus olhos por muito, muito tempo, ignorando todas as estrelas sobre nós até que ficasse claro demais para vê-las.

— Qual resposta? — pergunta Frankie.

— Focas. As focas são oficialmente a coisa mais legal que vi na minha vida.

Ela sorri.

— Concordo.

Depois de comer algumas rosquinhas, posamos na grama com Jayne enquanto Red instala a câmera e o tripé para nossa primeira foto oficial da viagem. Mesmo que seja provável aparecerem na foto como manchas marrons na praia a distância, as focas parecem posar para nós. Satisfeito com o ângulo, Red configura o timer e corre para se juntar a nós perto do mar, rindo com as focas enquanto esperamos pelo clique.

— Vai ser uma bela foto, docinhos — diz Red. Mesmo que há tempos não compartilhássemos o armário amarelo associado a bebês cujo sexo ainda não se sabe qual será, Frankie e eu somos inseparáveis. Nosso apelido de infância continua a ser o mesmo.

— Você está bem, Anna? — sussurra Frankie diante das focas, enquanto Red e Jayne voltam para o carro.

— Acho que sim — respondo. — Só estou absorvendo tudo. — Chuto o chão, derrubando uma pilha de pedrinhas rochedo abaixo. Uma nova brisa espalha o ar úmido pelo abismo e recobre nossos braços com uma névoa prateada.

— Ele está aqui —Frankie fala para o mar. Pego sua mão e fecho os olhos de novo, segurando-me com a outra mão na grade, flutuando.

Os outros quarenta minutos se passam logo. Depois da parada, Red e Jayne demonstram energia renovada e empolgação, contando histórias das primeiras viagens à praia, quando os filhos eram pequenos. Red dirige na maior parte do tempo com uma das mãos no joelho de Jayne e, de vez em quando, ela coloca a mão sobre a dele e sorri.

Quando começo a sentir vontade de almoçar, Frankie aponta para um velho cartaz azul:

BEM-VINDO A ZANZIBAR
PARAÍSO PERDIDO... E REENCONTRADO!
População: ~~945~~.949

— Breeze! Breeze! Breeze! — Frankie grita, levantando e abaixando os braços. Ela me contou sobre seu restaurante preferido no caminho para o aeroporto, de manhã.

Depois de deixarmos a estrada, Red entra na Moonlight Boulevard, Píer 7, de acordo com o cartaz que nos recebe na rua principal. Cheia de turistas, barraquinhas de cachorro-quente e biquínis néon, o píer é um ataque aos cinco sentidos de todos — e, quem sabe, até ao sexto.

Não é a cidadezinha em si, mas as pessoas. *Nós*. O verão parece chegar conosco, embora o lugar todo pareça estar dormente desde setembro, despertando com táxis e carros alugados que se enfileiram para nos deixar na praia — famílias com bebês, estudantes universitários de férias, aposentados querendo se aquecer sob o sol californiano e a nossa própria trupe. Juntos, passamos pelo píer como uma onda à medida que Frankie esfrega os olhos sonolentos, se espreguiça e nos serve café.

Depois de encontrar uma vaga em nossa quinta volta pela rua, damos nosso nome para aguardar uma mesa no Breeze, que tem uma espera de vinte minutos, e passeamos pelo píer para observar os barcos no Pacífico. O cheiro do bronzeador de coco emana dos adoradores do sol, mas o som das ondas sobrepõe-se às risadas e à música.

— Não se preocupe, Anna. — Red acena com a cabeça para as pessoas lá embaixo. — A praia perto de casa não fica tão cheia como esta. O condomínio tem uma praia particular, então só as pessoas que estão usando as casas podem frequentar a praia.

— É, os *velhos* — sussurra Frankie.

— E aí, o que achou? — pergunta Red. — Incrível, não?

— Mais do que eu imaginava.

— Fora o lugar, gosto de fingir que estamos separados do mundo aqui. É bem tranquilo, tirando os surfistas. E os turistas. E os vendedores. E todas as crianças gritando — tio Red suspira. — Lembra quando este lugar era meio secreto, Jayne?

— Foi há muito tempo — Jayne aprecia a água, e Red a abraça e a beija na cabeça. Isso a faz sorrir um pouquinho. Viro-me, sentindo que sou uma intrusa.

— Vamos ver se nossa mesa está pronta — diz Frankie. — Anna, eles têm as melhores piñas coladas. Você vai ver.

— Sem álcool, claro — adverte Jayne, afastando-se de Red.

— Virgens, claro — Frankie sorri.

Depois do almoço, incluindo duas das melhores piñas coladas, Frankie e eu entramos na fila do sorvete, na barraquinha ao lado, a Sweet Caroline's Creamery. O Ultra Quick-Skinny que se dane. Jayne parece se sentir melhor, mas aprendi logo depois da morte de Matt que até mesmo uma coisa simples como pedir um queijo quente numa lanchonete pode dar vazão a memórias inevitáveis.

Enquanto Frankie e eu esperamos na fila, anulando nossos muffins light e ignorando a perda de peso em poucas horas, contamos trinta e sete velhas queimadas de sol que não percebem que deveriam ter parado de usar biquínis há muito tempo. Frankie e eu prometemos nunca deixar que a outra se exponha assim depois dos trinta, por melhor que seja nossa aparência. O choque dos biquínis verdes e alaranjados contra o fundo das lojas cujos tons vívidos se tornaram acinzentados e pálidos com os anos de maresia me lembra de que somos um inconveniente, uma moda que a cidade suporta todos os verões e que ela aceita, vende, alimenta. Ela existe apenas para nossa diversão. Imagino todas as lojas protegendo as vitrines no outono — os anúncios desligados, os cata-ventos cor de caramelo limpos e guardados —, toda a cidade cabendo numa tenda e guardada num trem, com elefantes e comedores de fogo.

Com as casquinhas na mão, damos a volta na barraquinha perto do píer, onde esperamos por nossa mesa no Breeze. Ao lamber o chocolate que escorre pela minha mão, minha percepção sobre o que nos rodeia aumenta sobremaneira. O ir e vir da maré. O grito das gaivotas no céu. O cheiro de sal e de peixe na brisa amena. A cada passo pela madeira do píer, grãozinhos de areia voam da praia e somem debaixo de nossos calcanhares. A areia que viajou milhões de quilômetros por bilhões de anos através de continentes e oceanos, sobrevivendo a placas tectônicas, erosão e depósito de sedimento, é esmagada por nossas sandálias.

O cosmos pode ser tão cruel.

— Frankie, olhe para esta areia. Não é incrível que...

— Psiu, Anna. Dê uma olhada. Não, não *agora.* Não olhe ainda.

— Não olhe o quê? — Viro a cabeça para ver.

— Meninos. Com bonés de beisebol. Lá. Eu disse para não olhar! Eles estão fazendo uma conferência completa sobre nós. Tem alguma coisa nos meus dentes? — Ela sorri para mim a fim de que eu possa confirmar que não há nenhuma prova do almoço e do sorvete.

Faço que sim com a cabeça e olho para os meninos, esperando que meu coração se acelere ou que minhas mãos suem ou que minha língua fique presa. Mas todas as funções corporais permanecem intactas. Eles se parecem com os meninos da nossa cidade, só que mais bronzeados.

— Qual é o problema? — pergunto, pensando que, se isso for o melhor, vou ficar com o velho albatroz por muito tempo.

— O problema, Anna, é que eles estavam olhando fixamente para nós. E não estamos prontas nem nada.

Olho para seus cílios com rímel, que ela aplicou no banheiro do Breeze.

— Sei.

— Só estou dizendo. Estamos aqui há uma hora e já temos algumas perspectivas. Vai ser muito fácil conseguir vinte. Talvez devêssemos subir o número para trinta.

— *Talvez* devêssemos apresentar seus novos namorados para seus pais — digo —, porque eles estão vindo aí.

8

Frankie logo se transforma na "boa filha", guardando a "sedutora" para um momento mais apropriado, ou seja, para quando estiver longe dos pais. Os meninos no píer devem ter percebido a mudança de personalidade — ou o perigo de um pai próximo —, já que não foram mais vistos quando Red e Jayne se aproximaram de nós.

— Encontrou algo de que gosta? — perguntou o pai de Frankie.

— Oi? — Frankie quase engasga com o sorvete.

— A mamãe e eu compramos sorvete com cookies — ele diz, mostrando sua casquinha.

— Ah, tá. Nós compramos chocolate com cereja e alguma coisa.

— Então, quando vamos para casa? — pergunto, para evitar que a situação piore. Como Red e Jayne se tornaram relativamente omissos na disciplina de Frankie, ela é menos cuidadosa com seus segredos do que mandam as leis na relação entre pais e filhos. Acho que não chegaria a dizer algo *tão* horrível, tipo "perdi minha virgindade com o aluno de intercâmbio, por favor me passe o sal", mas não quero facilitar sobre nosso concurso de meninos e arriscar ser mandada para casa no primeiro dia. Que vergonha. O que Red e Jayne pensariam se soubessem que sua filha e a melhor amiga dela saíram à caça de homens — na verdade, *vinte* homens — durante as férias da família?

— Precisamos pegar umas coisas para o jantar de hoje e o café da manhã de amanhã — diz Red. — Depois nós vamos embora. A casa fica a uns oito quilômetros, na colina.

Da rua principal da cidadezinha, perto da mercearia, podemos ver apenas o topo da casa, um telhado se erguendo como a ponta de um iceberg. Ela fica numa elevação com vista para o mar, não muito perto das outras casas.

Tio Red e tia Jayne ficam em silêncio enquanto abrimos caminho pela estradinha de terra até o alto. Ao passarmos pelas palmeiras e no alto da colina, a casa aparece como se estivesse escondida atrás das árvores, para nos surpreender.

— Uau — sussurro. Não há nada mais a dizer. A visão dela, tão de perto, me deixa muda. Não é gigantesca, ultramoderna nem nada disso, mas é avassaladora para mim. Um conto de fadas que vivia em centenas de fotografias e histórias por fim vem à tona. É toda de madeira, com janelas de cima a baixo. Sob os raios alaranjados do sol, parece estar pegando fogo, com um gigantesco triângulo de vidro queimando contra o céu azul.

Da ruazinha de terra, entramos pelo lado norte da casa, o quintal que dá para a praia e o mar e o céu aberto no fundo.

— Uau! — digo outra vez. Não acredito que estou aqui.

— Bem-vinda ao nosso segundo lugar preferido no mundo. — Tio Red desliga o motor e aperta a mão de tia Jayne.

Todos ficamos quietos no carro por alguns minutos, sem dizer nada.

— Vou dar uma olhada na vista lá do quintal — anuncio, saindo do carro e quebrando o silêncio.

— Já vamos indo — responde tia Jayne.

Subo a colina até o quintal, olhando para o capô prateado do carro, lá de cima. Os três estão congelados, com medo de se mover. Não sei dizer se estão falando, mas Frankie está entre os dois assentos da frente.

Por um breve momento, sinto falta de meus pais. Papai em seu paletó esporte Parkside Realty. Mamãe com seus cupons. Calmos. Previsíveis. Normais. Eu me pergunto se eles também sentem minha falta, a milhares de quilômetros de distância, em nossa casa normal, onde focas não latem e famílias não choram no carro.

O quintal é do tamanho de nossa piscina da escola e tem seis degraus de madeira na extremidade que leva para a praia. Sei que são seis porque Matt costumava me contar que saía correndo pela porta dos fundos, pela varanda, pelo jardim, e pulava na areia, saltando os degraus enquanto tia Jayne gritava que ele poderia quebrar o pescoço.

Tiro as sandálias e atravesso a grama molhada até os degraus, sentando-me no último e cavando um túnel na areia com meus pés. A areia é úmida e fria sob a superfície quente, bem como Matt contou.

À medida que as ondas quebram no litoral, olho para o mar e vejo algumas famílias espalhadas pela praia. Diante de mim, uma mãe está com água até os joelhos, acenando e chamando dois menininhos para o almoço.

Quando alguém que você ama morre, as pessoas perguntam como você está, mas não querem saber de verdade. Elas buscam a afirmação de que você está bem, de que você aprecia a preocupação delas, de que a vida continua. Em segredo, elas querem saber quando a obrigação de perguntar terminará (depois de três meses, por sinal. Escrito ou não escrito, é esse o tempo que as pessoas levam para esquecer algo que você jamais esquecerá).

As pessoas não querem saber que você jamais comerá bolo de aniversário de novo porque não quer apagar o sabor mágico de cobertura nos lábios beijados por ele. Que você acorda todos os dias se perguntando por que você está viva e ele não. Que na primeira tarde de suas férias de verdade você se senta diante do mar, o rosto quente sob o sol, desejando que ele lhe dê um sinal de que está tudo bem.

— Aí está você!

Dou um salto. Frankie está descendo as escadas.

— Você está bem?

— Sim. — Abro espaço para ela na escada e apoio a cabeça em seu ombro. — Estava só pensando nele.

— Eu também. — Os olhos dela estão vermelhos e marejados, mas ela está sorrindo. — Acho que o mais difícil passou. Estamos oficialmente fora do carro.

Rio, tirando meus pés das cavernas de areia.

Ao longe, pequenos triângulos — alguns brancos, alguns vermelhos e alguns coloridos — navegam ao longo de milhares de ondas.

— Não é incrível, Anna? — Ela admira a água. — Faz você se sentir pequena, não?

— É — Não quero falar muito. Não quero quebrar a bolha fina de vidro, minha cabeça apoiada em seu ombro, minha amiga mais velha reflexiva e séria e ainda capaz de se maravilhar.

— Sabe qual é a melhor parte da Califórnia? — Ela me abraça, seu bracelete frio roçando contra meu ombro. — Ninguém me conhece aqui. Ninguém imagina que deveria sentir pena de mim.

Penso nas expressões, na escola, enquanto passávamos pelos corredores — olhos desviando, sussurros. *Lá vai a irmã do Matt. Ei, aquela não é a melhor amiga dele?*

— Exceto por você — diz ela. — Você é a única que sabe do grande segredo. E você é um cofre quando se trata de guardar segredos. — Ela ri, chutando a areia com os dedos.

Saímos dos degraus cheios de areia e andamos até a praia. De perto, a água vai e vem, alternando entre o azul nebuloso e o cinza. Conforme cada onda inunda nossos pés, a maré nos puxa, levantando a água como uma saia ao vento para nos dar uma vista das pedras coloridas logo abaixo.

A água é mais fria do que eu esperava. Ela mordisca meus dedões do pé até que me acostumo com a temperatura e não posso mais diferenciar o ar e a água em minha pele. Ajoelho-me e pego um punhado de areia e pedrinhas, olhando para minhas mãos enquanto a areia escura e molhada brilha no ar.

— De onde você acha que isso veio? — pergunto, molhando as mãos na água e deixando que as ondas as lavem.

Chuá, chuá, chuá, chuá...

— De vários lugares, eu acho — responde Frankie, abaixando-se para pegar uma pedra lisa do tamanho de uma ameixa. — O mar tem infinitas coisas legais. Pela manhã, você encontra conchas e vidro também. Olhe só isto — ela segura a pedra diante de mim. — Você pode ver traços de cores de outras rochas e areia que foram impressas há milhões de anos... O que você está olhando?

Sorrio.

— Sabe, Senhorita Perino, para alguém que quase foi reprovada em história natural até que você sabe bastante sobre o ecossistema oceânico.

— Isto não é ciência, Anna. É a natureza. É diferente.

Abro a boca para discordar, mas ela tem razão. Ciência: algo criado pelo homem para explicar todos os mistérios da vida. Natureza:

a própria criação, o próprio mistério, e existe antes que déssemos o primeiro suspiro e existirá durante muito depois do último.

Chuá, chuá, chuá, chuá...

— Frankie, obrigada por me trazer aqui.

Ela me olha e sorri. O corpo dela está ali comigo, seus pés deixando impressões na areia, mas seus olhos estão a milhões de anos de distância, nadando com criaturas pré-históricas enquanto areia, pedras e ossinhos se juntam e se separam, a natureza seguindo adiante devagar, sem afetar os acontecimentos insignificantes da vida humana. De repente me sinto pequena, menor e menos importante do que os grãos de areia sob nossos pés, e ao mesmo tempo me sinto consolada e humilde.

— Aqui, fique com isto — Frankie sorri de novo, colocando uma pedra listrada em minha mão. — É a primeira lembrança oficial do M.V.T.T.

Andamos pela praia por mais meia hora, parando aqui e ali para pegar uma concha ou um vidro verde. Meus dedos enrugados e meus cabelos recobrem meus olhos e boca, mas quero ficar o tempo todo ali, com o mar recuperando seus tesouros como um velho comerciante enquanto eu durmo ao lado dele na areia.

Frankie ainda está em silêncio, cavando atrás de seus tesouros na areia. Da última vez que ela esteve nesta praia, ajudou Matt a pegar vidros para suas criações. Eles estavam se revezando na água. Fazendo planos para o jantar. Falando sobre como você podia pegar uma onda até a beiradinha só com o peso do corpo se fizesse do jeito certo.

Às vezes acho que, se ela soubesse sobre mim e Matt, talvez isso nos aproximasse mais. Se eu pudesse fazê-la entender o quanto gostava dele, ela me deixaria entrar no clube exclusivo em que todos os membros têm o direito de ser tristes. Em vez disso, sou uma intrusa. Olho pela janela e os vejo chorando, mas estou do lado de fora, no escuro, e eles não podem me ver.

— Frankie, posso lhe perguntar uma coisa?

— O quê?

— Você se lembra da minha festa de aniversário no ano passado? Quando fiz quinze anos? — ignoro o som da voz de Matt sussurrando sobre as ondas. *Psiu. É o nosso segredo. Você prometeu.*

— Claro, acho que sim. — Ela limpa as mãos e as esfrega nos quadris. — Ei, vamos voltar? Podemos desfazer as malas e organizar nosso quarto. Com sorte a mamãe e o papai já estão tirando as coisas do carro.

— Certo. — Jogo um punhado de pedrinhas na água e as vejo cair como chuva.

— O que você ia dizer sobre o seu aniversário? — Ela sorri e eu não quero que pare.

— Ah, deixa pra lá. — Pego na mão dela. — Esqueci.

Não digo nada sobre ele.

Apenas engulo em seco.

Faço que sim e sorrio.

Um pé diante do outro.

Estou bem, obrigada por não perguntar.

Ao entrar na casa vindo da varanda, a areia raspa em meus pés nus, fazendo um barulho ameno contra o piso. Tento não seguir adiante, mas Frankie me assegura de que areia no chão faz parte da experiência de Zanzibar.

— É um detalhe da decoração — explica Jayne. — Sabe, traga um pouquinho para dentro.

— Querida, você não pode pensar em decoração durante as férias — diz Red. — Não trouxemos os tecidos e pincéis.

— Não se preocupe — ela ri. — Vou encontrar uma maneira, se der vontade.

Não há sinal de tumulto emocional. Nada de rostos manchados, portas batendo, suspiros longos ou expressões distantes. Eles já colocaram nossas bolsas nos quartos, desfizeram suas malas, abriram as janelas e confirmaram que tínhamos a quantidade suficiente de toalhas, pratos e outros itens essenciais. Sejam quais forem os fantasmas da memória que os atingiram ao entrarem pela porta da frente, eles saíram e desceram a rua, estão fora da vista, porque Red e Jayne eram o exemplo perfeito de pessoas *normais*.

Permito-me ter um pouco de esperança de que estas férias sejam exatamente do que a família precisa. Depois outro raio de possibilidade se infiltra em meus pensamentos. Se o sol da Califórnia pode curá-los, então *talvez* ele possa me curar e a Frankie também.

Prendo a respiração enquanto tia Jayne apronta a mesa para o jantar, sabendo que, se a menor pena cair nesta fina névoa de paz, tudo pode se romper. Às vezes acho que nos sentimos culpados por estarmos felizes, e, assim que nos pegamos agindo como se tudo estivesse certo, alguém se lembra de que nada está certo.

À noite, quando Frankie se senta à mesa e sem querer derruba um copo de Diet Coke, tia Jayne começa a chorar e o véu translúcido de normalidade se evapora para revelar suas partes mais verdadeiras e feias.

9

— Está tudo bem, mamãe — diz Frankie, correndo para pegar uma esponja. — Peguei — ela diz.

— Não estamos nesta casa nem há uma noite e você já está fazendo bagunça! — Ela pega a esponja das mãos de Frankie e se ajoelha, limpando o refrigerante com uma das mãos e as lágrimas com a outra.

— Eu faço isso, Jayne — tranquiliza Red, ávido para evitar um colapso total.

Tia Jayne o afasta.

— Será que podemos ter *um* jantar normal como uma família, *por favor?*

Ela ainda é imprevisível. Em alguns dias se apega à palavra *normal* como se fosse um salva-vidas alaranjado, capaz de salvar sua família do desespero. Pessoas "normais" saem em férias de verão. Pessoas "normais" jantam juntas. Pessoas "normais" *não* derramam refrigerante no chão nem perderam seus filhos.

Em outros dias, é como agora. Como se Matt tivesse morrido de novo. Jayne teve mais dificuldade do que os outros, e, logo depois do funeral, basicamente se trancou no quarto por semanas, mal comendo e conversando. Mamãe e eu estivemos lá todo o verão, esperando o dia em que ela resolveria sair do quarto. Depois de um tempo, foi o que ela fez. Foi até o quarto de Matt, sentou-se na cama dele e cheirou as roupas que ele deixara ali em seu último dia, sem jamais lavá-las ou mudar qualquer objeto do ambiente. Alguns meses mais tarde, todos estávamos jantando quando tio Red sugeriu que eles doassem alguns dos livros e roupas de Matt. Tentei imaginar como seria ver alguém com as roupas dele, por exemplo, quando estivéssemos na fila da mercearia e, de repente, alguém dissesse: *Ei, aquele não é o Matt? Não, é só o vizinho que comprou a camiseta dele que está comprando muffins com calda de maçã para sua mãe.* Eu não suportaria. Parece que tia Jayne também não. Sem responder, ela se levantou da mesa e entrou no seu quarto. Ficou sem falar de novo por dias, nem mesmo com minha mãe, sua melhor amiga. Foi como se a morte de Matt fosse capaz de engoli-los, como uma enorme e triste baleia, deixando para trás uma casa cheia de flores, pratos à base de frango e fantasmas.

— Desculpe, mamãe. — Frankie se aproxima dela, sussurrando. — Foi um acidente.

Jayne suspira, limpando a mancha que já não está mais ali.

— Tudo bem, Frankie. Só tente tomar mais cuidado. Esta viagem já é bem difícil sem...

— *Bem* difícil? — Frankie de repente encontra a voz e começa a gritar para sua mãe sob a mesa. — Não fui eu quem planejou esta viagem abizurda!

Absurda, Frankie. Absurda.

Jayne fica perplexa, mas se contém. Há lágrimas em seus olhos, e sua voz falha.

— Desculpe, Frank, mas você não é a única magoada aqui.

Tio Red parece congelado do outro lado da mesa, incapaz de impedir que a briga entre mãe e filha aconteça diante de nós. Tenho medo de olhar para qualquer lugar que não seja meu prato vazio.

Frankie bate a cadeira contra a mesa e sai correndo da cozinha. Sem deixar espaço para uma resposta, ela solta um casual "Vaca!" e desaparece no andar de cima.

— *Estamos* indo bem. — Tia Jayne limpa as mãos no pano de prato e pega o mesmo caminho de Frankie, batendo a porta de seu quarto.

Depois de alguns momentos de silêncio, ainda olhando para meu prato, tio Red limpa a mesa e me pede desculpas.

— Esta viagem, só pensamos... Ah, esqueça. Não sei o que dizer, Anna. Desculpe. — Ele aperta os olhos para não chorar. É muito triste quando um pai chora. Em minha vida toda só vi meu pai chorar duas vezes: uma no hospital e depois, no funeral de Matt. Não importa o que Matt e meu pai diziam, *os pais* deviam ser os fortes. Deve ser por isso que Red tem tantas rugas na testa. Toda a dor se esconde ali.

Ele se desculpa de novo e pede licença para subir, deixando-me sozinha na cozinha, com a baleia grande e triste.

Por que você está chorando?, pergunta a baleia. *Ele não era seu irmão.*

Espero um pouco até que não haja som nenhum vindo lá de cima antes de subir com minha cara de melhor amiga para enfrentar Frankie. Sem encontrá-la no quarto amarelo com camas de solteiro — o quarto que ela sempre ocupara quando criança e que dividiria comigo nesta viagem —, sei que só há um lugar onde ela pode estar. Vou até o fim do corredor, para longe do quarto de Red e de Jayne, e abro a velha porta de carvalho que Jayne pediu que não abríssemos, subindo uma escadinha até o sótão.

Frankie está deitada de bruços na cama, chorando nos travesseiros brancos nos quais seu irmão dormira durante todos os verões, exceto o último. Horas antes ela estava no Breeze, feliz com sua piña colada e seu rímel recém-aplicado. Agora, escondida no quarto azul com vista para o mar, ela é uma flor pálida e despedaçada, que faz meu coração doer.

Desejo mais do que nunca que Matt estivesse ali, que estivesse rindo conosco em seu velho quarto no sótão, que no hospital tudo tivesse sido um mal-entendido, como quando eles trocam os bebês de pais.

"Olá, Senhor e Senhora Perino. aqui é Peg, do Mercy General. Estava analisando arquivos antigos e encontrei algumas discrepâncias. Sim, vocês sabem que essas coisas acontecem. De qualquer modo, há cerca de um ano, por causa de uma confusão de documentos, inadvertidamente lhe demos as notícias que seriam para outra família. Acontece que foi Phillip quem morreu, não Matt. Sim, liguei para eles também. Eles enviarão Matt para sua casa amanhã. Sem problemas, certo? Vocês sabem que essas coisas acontecem. Tchau".

Coloco as mãos nas costas de Frankie até que os soluços parem e sua respiração se torne profunda e regular.

Uma hora mais tarde, ouvimos Red e Jayne descerem e saírem pela porta da frente, trancando-se no carro e descendo a rua. Certas de que a casa está vazia, Frankie e eu vamos à cozinha à procura de algo para comer.

— Não acredito que ela tenha perdido o controle daquele jeito — reclama Frankie, pegando uma Diet Coke da geladeira. — E o papai não disse nada!

— Acho que ele não sabia o *que* dizer, Frank.

— Acho que eles vão se separar.

— Como assim? — pergunto. — Hoje à noite?

— Não. Quero dizer se separar mesmo. Divórcio.

— Do que é que você está falando? Seus pais estão bem. Eles estão só se ajustando à primeira noite desde que... bem, é difícil para eles. — *E para você.*

— *Por favor* — replica ela enquanto abre a latinha. — Em casa eles nem dormem mais no mesmo quarto.

— Mas eu os *vi*...

Frankie faz que não com a cabeça.

— Eles dizem boa-noite e fecham a porta, mas o papai desce para o escritório quando acha que estamos dormindo. Como se eu não pudesse perceber o que está acontecendo.

Medo e temor reviram minhas entranhas ao pensar nas noites recentes que passei com os Perino, como se fosse um filme, escrutinando cada quadro em câmera lenta, à procura de um furo na trama. Red pôs as mãos nos joelhos de Jayne na noite em que disse que viríamos para a Califórnia. *Ela recuou?* Eu os vi fecharem a porta do quarto e nos desejarem boa-noite. Agora os imagino deitados na cama juntos, de costas um para o outro, tomando cuidado para que o dedinho de um não toque na perna do outro, esperando que peguemos no sono até que possam parar com o teatro.

Livro-me da imagem em minha mente, sentindo que entrei num ambiente com adultos envolvidos em "Conversas Sérias que Não São para os Jovens".

Houve uma ocasião em que achei que Red e Jayne não ficariam juntos — foi logo depois da morte de Matt. Eles estavam casados há vinte anos, mas em apenas dois dias se esqueceram do porquê. Mal se falavam, nem mesmo quando meus pais e eu estávamos por perto. Uma briga teria sido melhor que o silêncio que os envolvia, mas nada aconteceu — não naquela época. A tensão silenciosa se abateu sobre a casa dos Perino como cimento.

Um mês se passou, e eles permaneceram juntos. Três meses. Depois seis. O aniversário dele. Natal. Dia das Mães. Dia dos Pais. O primeiro aniversário, há alguns meses. Conversando. Comendo juntos. Às vezes rindo. Todo sorriso ou piada dava início a uma fissura no cimento que os prendia.

— Mas seus pais são diferentes, Frankie. Eu achava que eles... Quero dizer, como você nunca... — Não encontro as palavras para terminar minha frase. Frankie suspira e passa o lábio pela lata de refrigerante, a sobrancelha pendendo do olho esquerdo, segurando as lágrimas.

— Da última vez que estivemos em Zanzibar — diz ela —, não percebi. — Sua voz era distante e fraca, como um fantasma uivando em outra dimensão. Não importa que eu esteja ao lado dela. Eu podia me afastar e ela continuaria falando. — Ele era mais velho — continua ela. — Eu não via as mesmas coisas que ele via. Não gostava das coisas que ele gostava. Simplesmente não entendia, Anna. Achava que teríamos mais tempo. Achava que ele...

Frankie tem seus motivos para não falar de Matt, e se esquecer desses motivos — até mesmo por alguns momentos — é difícil demais. Ela cruza os braços e chora. Eu me aproximo, abraçando-a. Juntas, choramos como fizemos nas semanas seguintes ao acidente — com soluços enormes que abriam caminho pelo corpo, saindo de lugares onde a luz acabara há anos.

Não sei quanto tempo se passou comigo e Frankie sentadas, sem dizer nada, as cabeças juntas, respirações curtas e sincronizadas. Quando saímos de nosso transe de tristeza, o refrigerante estava quente.

Frankie levanta a cabeça devagar e limpa os olhos. Tiro seus cabelos do rosto.

— Oi — ela suspira. Seu rosto está pálido, os olhos inchados, mas aquele sorriso mágico está se insinuando nos cantos de sua boca.

— Como Passei Minhas Férias de Verão — digo.

Frankie ri.

— Comendo e chorando. Como não amar?

— Exato. — Aperto sua mão.

Lá fora, luzes surgem no quintal, anunciando a chegada de Red e Jayne. Frankie e eu deixamos nossos refrigerantes na pia e subimos antes que eles entrem, ansiosas por deixar essa noite para trás. Nós nos trocamos logo, entramos em nossas camas, desligamos as luzes e nos cobrimos.

Assim que Frankie adormece, minha superforça de melhor amiga desaparece. Minha respiração se parte, lágrimas mancham as estrelas no céu e todos os velhos fantasmas que tentei deixar em casa voam como sementes de dente-de-leão pelo quarto.

10

Frankie ronca baixinho sob a colcha, enquanto eu sou consumida por pensamentos sobre Matt. Nosso primeiro beijo. As estrelas cadentes. Os olhares roubados na mesa de jantar. Lembro-me dele me enviando mensagens de texto com passagens de seus livros preferidos no meio da noite. De sua mão acariciando meu rosto quando ninguém estava olhando. Do cheiro de sua pele quando ele se aproximou de mim para pagar os nossos sorvetes no último dia na Custard's.

Se eu soubesse que ele morreria, minhas últimas palavras para ele teriam algum sentido. Elas com certeza não teriam sido minha tentativa desafinada de cantar aquela velha música do Grateful Dead que ele tanto amava. Não, eu teria dito como me sentia a respeito dele, de modo direto. Sem mais flertes, sussurros no jardim. Eu o teria encarado para garantir que sua imagem estivesse para sempre gravada em minha mente. Teria lhe perguntado um milhão de coisas para que pudesse me lembrar do que importava *antes* de entrar no carro a caminho de casa. Porque, *depois,* nada importava.

Não tivemos nem mesmo a oportunidade de dar um nome àquilo. O que quer que tenhamos nos tornado um do outro no mês anterior a sua morte vai permanecer um mistério. Nunca pude perguntar em voz alta. Eu me perguntava, sozinha na cama, o que aconteceria se ele encontrasse alguém na Cornell ou se Frankie se revoltasse e ele decidisse que não valia a pena. Mas, quando está apaixonada por alguém, você não para para perguntar “Matt, ouça. Se você morrer antes de contar para sua irmã sobre nós, eu devo contar? E, por sinal, há um ‘nós’ sobre o que contar?”.

Quando isso acontece, você está totalmente despreparada, fragmentada e perdida, procurando um sentido oculto em cada coisinha. Reproduzi os eventos daquele dia centenas de vezes, procurando dicas. Um fim alternativo. Um efeito borboleta.

Se Frankie e eu não tivéssemos tomado sorvete naquele dia estúpido, ele ainda estaria vivo.

Se eu não tivesse atiçado seu coração, beijando-o todas as noites desde meu aniversário, ele ainda estaria vivo.

Se eu não tivesse nascido, ele ainda estaria vivo.

Se tivesse encontrado a borboleta que bateu as asas antes de entrarmos no carro naquele dia, eu a esmagaria.

— Não consegue dormir?

Tia Jayne me encontra no canto escuro da varanda, onde eu estava perdida pensando em meus fantasmas.

— Pensei que todos estivessem dormindo — digo, respirando fundo. — Desculpe, não queria... Só estava...

— Anna, não precisa ir embora — Jayne balança a cabeça. — Está tudo bem. Eu só estava... lembrando.

— Eu também. — Na mesma hora quero me calar, correr para o quarto e me esconder debaixo da cama. — Quero dizer, você sabe, as histórias e tudo o mais.

Tia Jayne faz que sim com a cabeça, a luz da lua caindo sobre seus cabelos como uma auréola, iluminando-a com um brilho azulado.

— Sente aqui comigo. — Ela pega uma cadeira com os pés. Isso me lembra da velha tia Jayne, aquela que me tratava mais como uma amiga do que como uma criança. Antes que tudo acontecesse, ela costumava se deitar ao sol conosco, trocando o chá gelado por um pouco de tempo com as meninas. Claro que as fofocas não eram tão boas naquela época. Frankie ainda era virgem. Cobertura azul de bolo ainda não me fazia chorar. Eu não estava escondendo um segredo da minha melhor amiga.

Ficamos ali por alguns minutos, ouvindo o ritmo das ondas contra a costa. *Chuá, chuá, chuá...* Elas pareciam menores no escuro, mas mais barulhentas.

— Frankie e Matt costumavam andar pela praia à procura de vidros do mar — ela me conta. — Era uma aposta que eles faziam.

— Eles sempre me davam alguns vidros. Eu os tenho até agora, na verdade.

— Sim, eu me lembro dos potes. Matt fazia artesanato com eles também. O bracelete vermelho da Frankie foi ele que fez. E o pingente azul que ele usava no pescoço também. Lembra?

Subindo. Descendo.

Contenho as lágrimas e faço que sim com a cabeça.

— Não sei o que aconteceu com aquilo — diz tia Jayne. — Tentei encontrá-lo tantas vezes... Tenho certeza de que ele o estava usando na hora do ocorrido.

Toco meu pescoço, onde às vezes sinto o peso do colar, como se Matt o tivesse me dado, como brincava que faria um dia. *Nada, ainda nada ali.* Devia estar em meio aos escombros do carro, com CDs soltos, um tênis, livros com diárias atrasadas da biblioteca para devolver e nossas pazinhas de sorvete — os pequenos itens do fim de uma vida.

— Anna — Jayne quebra o encanto da maré noturna. — Posso lhe perguntar uma coisa, só entre nós?

— Claro. — Não sei direito para onde isso iria.

— Sei que não fui eu mesma hoje, e peço desculpas. Às vezes não prevejo o que vai me deixar irritada. Estou trabalhando nisso, é sério. Mas a Frankie... Como *ela* está? De verdade.

Olho para o rosto sincero de Jayne e penso no antigo caso de Frankie, Johan. Penso em toda a maquiagem, no cigarro, nas notas baixas e nas portas batidas, e me pergunto como Jayne podia perguntar aquilo. Talvez ela quisesse ouvir um sim — uma permissão para seguir adiante sem notar nada. Mas a gravidade de sua expressão, as rugas na testa e ao redor da boca, os nós dos dedos esbranquiçados... Ela é uma mulher cega procurando uma direção. Em algum lugar de minha mente, ouço papai, distante e triste.

Enquanto você estiver por perto, Red e Jayne não precisam se preocupar com Frankie — você está fazendo isso por eles.

— Desculpe, querida — diz Jayne. — Espero não estar exagerando. Só me preocupo com vocês. A Frankie não conversa mais comigo como costumava fazer. Minha filha é uma estranha para mim.

— Para mim também. — Minha boca age sozinha enquanto meu cérebro está sonolento. *Boca estúpida.* — Quero dizer...

— Diga. — A mão de Jayne segura firme em meu braço. — Está tudo bem. — Ela olha em meus olhos e me dá aquele momento, aquela oportunidade de falar com precisão como é, como Frankie está diferente, como sua mente divaga, sobre Johan, os vinte garotos, o A.A., o beijo de cobertura de bolo, a promessa, como não consigo parar de pensar em Matt: *tudo.* Quero tanto lhe contar... A mãe arruinada que, depois de todo esse tempo, enfim pode ser capaz de consertar a todos.

— A Frankie... Ela está se saindo bem — começo, querendo me bater. Todas as coisas que eu podia ter compartilhado e foi isso o que saiu. *Está se saindo bem,* como se estivesse avaliando o desempenho dela no escritório.

— Não — contesta Jayne, tirando a mão de meu braço. — Ela não está. Nenhum de nós está. Seja sincera comigo, Anna.

Um soco de várias emoções estranhas passa por mim — uma necessidade feroz e leal de proteger Frankie, culpa por minha incapacidade de dizer a verdade a Jayne e raiva por ninguém saber ou se importar com o que *eu* perdi.

— Tia Jayne, ouça. — Sou quase petulante, como se dar tais opiniões para a mãe de minha melhor amiga fosse um grande esforço. — A Frankie continua aqui. Ela não é uma suicida ou drogada. Ela ainda consegue rir das coisas na maior parte das vezes. Mas não é mais a mesma.

— Anna, eu não quis dizer...

— Ah, você tem visto como ela está. A maquiagem e esse comportamento. E ela não tem sido uma aluna das mais notáveis. E olhe o que aconteceu no jantar com vocês! A Frankie sabe que ele morreu, tia Jayne. Ele morreu, é isso, e nada o trará de volta.

Estou tremendo. Minha mão cobre minha boca assim que as palavras escapam; o peso do que eu disse de repente me assola. Coisas pérfidas que eu nunca deveria ter dito. É oficial: sou a pior pessoa do universo, e Jayne está paralisada, confusa diante de todo o sofrimento que pode suportar.

E então... um suspiro profundo.

Um sorriso.

Um olhar.

Um riso de boca aberta.

Ali, na varanda dos fundos da baía de Zanzibar, no meio da noite escura, só com o mar por testemunha, vomitei a verdade feia e... tia Jayne... *riu.*

— Anna — ela começa a falar, limpando as lágrimas com as costas da mão —, esta foi a primeira vez que alguém foi completamente honesta comigo desde que meu filho morreu.

— Ah, meu Deus, tia Jayne, me desculpe. Não sei de onde veio isso. — Levanto-me para abraçá-la, esperando esconder meu rosto envergonhado de seus olhos.

— Ora. — Ela me abraça. — E eu nem quebrei.

Afasto-me dela e me sento, ainda tremendo por causa de meu ataque e da reação inesperada dela. Ela me observa e toma seu chá, há uma vida toda de tristeza em seus olhos — a vida de Matt. Mas continua sorrindo.

— Anna, você sente falta dele.

— O tempo todo. Até agora não acredito que ele se foi. — As palavras saem numa torrente, com um sabor curioso na boca. Não importa quantas vezes eu as diga, elas continuam soando como um idioma pervertido. Meu peito dói, e tenho de prender a respiração para não inspirar um soluço profundo.

— Ele era mais do que seu melhor amigo.

Faço que sim, esquecendo-me de mim mesma por um instante, esquecendo-me de que estou falando com tia Jayne e não com meu diário.

— Eu... Quero dizer, ele era como um irmão para mim. Sabe, como a Frankie. Bem, ela é a irmã. Quero dizer...

Jayne segura minhas mãos do outro lado da mesa, meneando a cabeça.

— Querida, quando você diz o nome dele, tem o mesmo olhar que ele tinha sempre que dizia seu nome. — Sua voz treme no final, mas suas mãos são cálidas e firmes.

Que olhar? Quero perguntar, mas as borboletas voltaram, misturadas com uma tristeza que parece grudar e abrir aos poucos as asas ao subir por minha garganta. Além da varanda, o mar suspira, esperando minha resposta.

Chuá, chuá, chuá...

— A Frankie não sabe — digo, apesar de não ter certeza do que quero que ela faça com essa informação. Contar para Frankie? Guardar segredo? Minha cabeça e meu coração estão confusos. Não disse nada, mesmo assim Jayne e eu acabamos de compartilhar mais do que compartilhei com alguém. Incluindo minha própria mãe.

— Eu sei que ela não sabe — Jayne me tranquiliza. — Ela não seria capaz de esconder de mim um segredo desse tipo.

Penso em Johan, mas ignoro. Esse segredo é meu, não de Frankie.

— Tia Jayne, eu...

— Também não consigo dormir. — Frankie nos surpreende em seu pijama de sapo, abrindo a porta deslizante. — Sobre o que vocês estão conversando?

Uma pontada de medo sobe por minhas coluna, fazendo-me levantar.

— Sobre, hummm, nada, Frank. Eu não conseguia dormir. Não quis acordá-la. — Estudo seu rosto procurando um indício de que ela tenha ouvido alguma coisa, mas vejo apenas olhos sonolentos e cabelos emaranhados presos às rugas rosadas de seu rosto.

— Bem, estou acordada agora — ela diz, puxando uma cadeira perto de sua mãe. Jayne põe na mesa o restante de seu chá e limpa a boca com a mão, soltando um suspiro que imita o mar.

— De bem? Pazes? — pergunta ela a Frankie, diretamente.

Frankie faz que sim e apoia a cabeça no ombro da mãe.

— A manhã toda esperei por um ataque — confessa Jayne. — Mas, depois que chegamos aqui, estava desempacotando as coisas, preparando a casa, e achei mesmo que tudo ficaria bem.

— Eu também — diz Frankie.

— Quando fui para meu quarto depois que você saiu correndo para o sótão, achei que faríamos as malas e voltaríamos para casa amanhã de manhã.

— E agora?

Tia Jayne pega algo no bolso da frente de sua blusa.

— Acho que seu irmão quer que fiquemos. Encontrei isto no armário enquanto procurava por uma caixa de lencinhos.

Ela abre a mão, mostrando um carrinho de metal do tamanho de uma casca de amendoim. Seus olhos se enchem de lágrimas enquanto ela esfrega a tinta vermelha com o dedo, mas depois sorri.

— Ele estava sempre perdendo essas coisas — ela conta, passando o objeto pela beirada da mesa. — Seu pai sempre dormia em cima disso e quase quebrava o pescoço. Lembra?

Frankie sorri.

— Mas como você sabe que é dele? Outras pessoas alugam este lugar.

— Olhe. — Jayne vira o carrinho com as rodas para cima, revelando o metal e duas letrinhas em caneta preta: *M. P.*

Frankie, ofegante, pega o brinquedo.

— Está vendo? — pergunta Jayne, acariciando o rosto da filha com os nós dos dedos. — Ele quer que fiquemos.

Parece loucura, mas isso acontece o tempo todo. Para mim, são as moedas de um centavo. Sempre que passávamos por uma moeda de um centavo na calçada Matt não a tocava. "Vamos deixar que outra pessoa tenha seu dia de sorte", ele pedia. Eu costumava provocá-lo, dizendo que algum dia, quando ele morresse, haveria uma sala cheia de moedas de um centavo que ele deixara para as outras pessoas.

Agora encontro moedas de um centavo em todos os lugares. Não apenas na calçada — que eu deixo para lá, como ele teria preferido —, mas nos lugares mais estranhos. Uma no banheiro. Algumas em meus sapatos — o que parece ser o lugar preferido delas. Ontem mesmo uma moeda caiu de um livro que eu trouxe. Eu as coloco no bolso e as deixo cair na calçada quase sempre. Que alguém tenha um dia de sorte, eu digo.

Jayne pega o carrinho das mãos de Frankie e o guarda no bolso, sorrindo. Será que tia Jayne está voltando para nós, saindo da ilha onde viveu desde a morte de Matt? Não posso ter certeza. Como no jantar, um sorriso pode se tornar um escândalo código cinco com a mesma rapidez com que uma tempestade afunda um navio.

Por enquanto ela parece bem.

Nós três ficamos sentadas à mesa, retiradas em nossas lembranças silenciosas, até que nossa respiração se une às ondas no mar. *Chuá, chuá, chuá*... Muitos minutos se passam assim. Olho para Frankie e Jayne e depois para a água: não quero que termine nunca.

Quando o silêncio por fim é interrompido, é Jayne quem fala, saltando da cadeira e segurando nossas mãos.

— Vamos lá, meninas. Sigam-me.

Frankie e eu a seguimos pela praia, gritando assim que a água gelada molha nossos pés. Jayne dá um salto e cai na areia, longe da maré.

Ficamos perto, sem saber se devemos nos juntar a ela ou chamar tio Red. De repente ela está agitando os braços como uma borboleta presa na areia, e tudo o que conseguimos fazer é rir.

— Anjos de areia — diz ela, como se fosse normalíssimo uma mulher adulta correr na praia às três da manhã para fazer anjos de areia. — Venham.

Deitamo-nos ao lado dela e agitamos nossos braços e pernas com toda a força do mundo, as lágrimas escorrendo pelo nosso rosto sem sabermos se são de chorar ou de rir.

— Vocês acham que ele vê? — Jayne se vira e pergunta depois que fizemos três anjos de areia.

— Se vê? — diz Frankie. — Ele deve estar se perguntando por que as mulheres desta família são tão malucas.

As mulheres desta família. Por enquanto, sou uma delas. Não a vizinha. Não a craca. Sou, sim, uma mulher desta família, correndo para a casa entre gargalhadas, morrendo de frio, com a areia soprando em meus cabelos.

11

— O que vocês estavam conversando ontem à noite?

Meus olhos grudentos se abrem um de cada vez, como os de uma boneca enguiçada, e sou incapaz de distinguir as imagens diante de mim. Frankie está sentada na beirada de uma cama que não é a minha. O quarto é estranho. O sol está invadindo meu rosto por todos os cantos. Sento-me rapidamente, e me vem à memória que estamos em Zanzibar.

É a manhã do nosso primeiro dia inteiro.

E tia Jayne *sabe.* Não de tudo, mas mais do que qualquer pessoa.

— Oi? Ah, nada. Só um pouquinho sobre Matt. — Meu coração acelera.

— Foi o que pensei. — Frankie desce da cama. — Você acha que minha mãe está bem agora?

— Sim, acho que sim. A última noite foi divertida, não? — pergunto, passando os dedos por meus cabelos emaranhados e derrubando mais areia no chão. — Quero dizer, a parte da praia foi divertida, né?

Frankie coça a cabeça.

— Foi, nem me fale. Tenho areia até nos ouvidos.

Olho para o relógio de plástico branco na mesinha de cabeceira — são oito da manhã. Não dormimos mais do que quatro horas, mas a empolgação do dia por vir supera qualquer sono.

— Anna, obrigada por ficar comigo na noite passada, quando estourei. Desculpe pelo meu comportamento, pela gritaria no jantar.

Ela me olha e mostra um sorrisinho. Penso no terapeuta para o qual os pais dela a levaram no ano passado. Certa vez eu a acompanhei. Se aquele terapeuta estivesse ali, é provável que dissesse algo como: "Está tudo bem, você precisava explorar as memórias que tem do seu irmão em suas primeiras férias sem ele". Mas tudo o que vem de mim é:

— Imagina, não foi nada.

Saio da cama e me espreguiço, tentando espantar o sono dos meus olhos.

— Com fome? — pergunto. — Podíamos fazer umas panquecas de chocolate.

Não é psicoterapia, mas panquecas de chocolate funcionam para várias coisas.

Ela aceita.

— Anna, posso lhe perguntar uma coisa?

— Sei o que você vai dizer. Sim, podemos usar morangos também.

Outro sorriso — quase uma gargalhada.

— Não — ela contesta — não é isso. É... Por que meus pais são tão *estranhos?*

— Porque são pais. É a função deles. Eles precisam dirigir minivans. Precisam ser imunes à moda. Precisam ser estranhos.

— Estou falando sério, Anna. — Ela arranca uma lasca de unha. — A mamãe estava, tipo, gritando e chorando e depois, num minuto, encontrou um carrinho de brinquedo e correu para fazer anjos de areia na praia. Por que eles quiseram vir para cá?

Penso na pergunta dela, uma pergunta que já me fiz milhares de vezes nas semanas seguintes ao convite para viajar.

— Acho que eles querem mudar a situação, Frank. Talvez achem que viajar faria tudo voltar ao normal.

— Mas não vai. Eles não entendem.

Abro a boca para tentar defendê-los, mas Frankie meneia a cabeça em desacordo.

— Está tudo bem, Anna, só estou um pouco irritada. Quero dizer, a noite passada foi divertida, mas ainda me sinto estranha depois que a mamãe estourou comigo só porque derramei Coca-Cola. Bem, vamos descer. Acho que eles já estão fazendo alguma coisa para comer.

Nós nos espreguiçamos e vamos para a escada, indo em direção aos cheiros do café da manhã que vêm da cozinha. Sinto o aroma da rabanada de baunilha com canela de tia Jayne, a receita "secreta" que ela aprendeu em um workshop de culinária, e também o cheirinho de café e bacon.

— Bom dia, meus anjos. — Tia Jayne beija Frankie no rosto e me dá uma piscada rápida e sutil, como um aperto de mãos secreto.

— Oi, docinhos — diz tio Red, com uma frigideira cheia de bacon numa das mãos. — Espero que estejam com fome.

— Estou morrendo de fome — Frankie se senta à mesa e pega o suco de laranja. — E ainda me perguntando o que aconteceu no jantar da noite passada. Se é que alguém se importa com isso, mas acho que não.

— Querida, não vamos falar sobre a noite passada — Jayne pede, dando uma pancadinha na mão de Frankie. — Fizemos as pazes, certo?

— Mamãe, não é isso.

— Tudo bem, crianças. — Tio Red se junta à mesa com um pano de prato sobre o ombro e um prato de rabanada. Ele está tentando evitar outro incidente com batidas fortes de portas e tudo o mais. — Os ovos estão esfriando.

Frankie deixa o copo de lado e respira fundo.

— Papai, só fiquei surpresa, ok?

Red se levanta com a frigideira equilibrada sobre os pratos, esperando para distribuir o café da manhã como se fosse um cozinheiro profissional, em vez de envolver-se numa conversa sobre seu filho morto.

Frankie continua:

— Em primeiro lugar, foram vocês que quiseram fazer esta viagem. Vocês não me perguntaram nada. Bem, eu estou assustada, sabiam? Todas as coisas de que me lembro sobre a Califórnia... Só não quero... Estou com medo de me lembrar de coisas novas e de que tudo o mais sobre o passado *se apague.*

Jayne se levanta da mesa e vai para a porta, dando as costas para nós. Seus ombros tremem de leve, mas ela não faz som algum. Depois de um minuto, enxuga os olhos e se senta de novo. Já vi esse filme centenas de vezes, mas nunca é fácil. Quero me enfiar debaixo da mesa e desaparecer.

Tio Red desiste dos ovos e se senta conosco. Meu rosto fica quente ao encarar a beirada de meu prato azul. Não consigo deixar de pensar na porta dos fundos e em como seria bom sair por ela e correr para a praia.

— Frankie — Jayne pega de novo a mão da filha —, não estamos tentando apagar as memórias ou fingir que tudo está bem.

— *Sei* disso, mamãe. Só que...

— Minhas meninas — diz tio Red, com a voz mansa e as sobrancelhas arqueadas —, vamos só tomar o café da manhã, pode ser? Vamos lidar com as coisas só quando elas acontecerem. — Ele passa a mão no rosto de Jayne e o acaricia com o dedo.

Jayne faz que sim com a cabeça e dá um tapinha na mão de Frankie. Frankie suspira e me cutuca com o pé sob a mesa.

— Desculpe — diz ela.

— Vocês ficaram acordadas até tarde na noite passada — diz Red, assumindo sua posição de chef ao colocar fritas em seu prato. — Problemas?

— Só conversa de meninas. — Tia Jayne sorri para mim e me passa o xarope de bordo. Eu cravo meu olhar no dela por um instante e me pergunto se ela é capaz de ler meus pensamentos: que desejo falar mais sobre Matt e mim; que não sei o que fazer em relação ao comportamento de Frankie; que não sei se posso competir no "concurso" do Verão dos Vinte Garotos quando há apenas um menino em meu pensamento.

Uma nova onda de culpa envolve meus pés, ameaçando subir até meu coração com o restante de meus arrependimentos. Tia Jayne foi uma boa ouvinte na noite anterior, e estou feliz por ter dito o que disse sobre Frankie, mas talvez eu não devesse tê-la deixado acreditar que eu gostava de Matt mais do que como apenas um amigo. Se ela nos vir conversando com outros caras na praia, será que pensará que estou traindo seu filho morto?

— Certo, Anna? — Frankie me chuta sob a mesa, tirando-me de meus pensamentos.

— Certo. Desculpe, sobre o que estávamos falando mesmo?

— Sobre nossos planos para hoje. Vamos ficar na praia perto de casa, certo?

Sei que Frankie não tem intenção nenhuma de ficar perto de casa ou em sua praia particular com seu salva-vidas de meia-idade, mas concordo.

— Vou aonde você for, Frank.

— Papai e eu vamos fazer compras — Jayne avisa. — Precisamos de mais coisas para o restante da temporada. Não querem vir junto?

— Vamos ver — responde Frankie, colocando as mãos ao lado do corpo como a Senhora Justiça. — Andar no mercado por duas horas enquanto o papai avalia a qualidade dos produtos ou ficar na praia onde podemos nadar, tomar sol e conhecer... quero dizer, nadar e tomar sol. Escolha difícil, hein, mãe, mas acho que vamos passar desta vez.

— Achei que diria isso — concorda tia Jayne. — Só façam uma lista do que vocês querem. E usem protetor solar, reaplicando após entrar no mar. Se ficarem no sol por mais de duas horas, reapliquem também. Na verdade, vocês não devem tomar sol entre o meio-dia e as duas, então...

— Tudo bem — Frankie revira os olhos. — Vocês agem como se eu nunca tivesse pegado sol antes.

— Não — retruca Red, batendo no ombro dela —, agimos como se você se queimasse demais todas as vezes que viemos aqui.

— Pai, aquilo não é se queimar demais. É pegar um bronzeado básico.

Tio Red balança a cabeça e sorri.

— Certo, vocês podem perambular por onde quiserem, mas não se aproximem do canto da praia, porque não há salva-vidas lá. Certo?

— Combinado, pai — conclui Frankie.

— Bom — tio Red continua. Tão amoroso. Tão confiante. Tão ingênuo. — Divirtam-se, minhas amadas. — Depois de alguns segundos, ele afasta seu prato limpo. — A mamãe e eu vamos sair daqui a pouco. Liguem para o celular se precisarem de alguma coisa. Voltaremos antes do jantar. A mamãe quer fazer comida chinesa.

Um café da manhã normal numa manhã familiar normal. Se eles tivessem um cachorro, seu nome seria Rex e ele começaria a latir lá fora até que um de nós jogasse um frisbee.

Depois do café, nós (na verdade, Frankie) passamos uma hora nos preparando para nadar. Frankie troca de sandálias algumas vezes e fica agoniada na hora de escolher o brinco. Cabelo e maquiagem são outra discussão — cabelo casual e bagunçado como sempre ou penteado para trás e preso com uma clássica faixa? Rímel à prova d´água ou só um toque de batom? Séria ou divertida?

— Ouça — digo, pronta em meu biquíni (com o qual ainda não estou acostumada), com a canga por cima —, ninguém vai notar o que você está vestindo. Vão notar *você*. Tudo o mais é excesso — arrumo meu cabelo num rabo alto.

— Anna, para sua informação, nada que você acrescenta ao rosto, cabelo ou corpo é excesso. Por falar nisso, por que você não está filmando? Precisamos documentar essas coisas. — Ela tira a câmera da mochila e me entrega.

Quase dou risada, mas ela não está brincando. Assim como "o concurso de meninos", este também é um projeto para ela, planejado e executado com todo cuidado, gravado do início ao fim para a posteridade. Nem mesmo os anéis nos dedos do pé serão esquecidos ao acaso.

Mantenho a câmera fixa nela o máximo que posso, discretamente ligando e desligando para poupar as plateias futuras do tédio de ver Frankie aplicando delineador, assoprando o esmalte, tirando as sobrancelhas. Estou prestes a sair sozinha quando Frankie enfim anuncia que está pronta.

— Graças a Deus! — digo, fechando a câmera e colocando meu diário e dois livros na sacola. — Será que podemos, *por favor*, descer para a água, agora?

— Espere! — Frankie grita com tanto vigor que eu quase penso que há um escorpião ou uma tarântula em minha cabeça. — Ainda temos de arrumar *você*.

— Frank, estou pronta há uma hora.

Ela ri. Ela ri *mesmo*.

— Anna, você não pode sair assim. Olhe só o seu *cabelo*!

— *Por favor*, Frankie. Vamos nadar. Na água. Lembra?

— Não seja preguiçosa quanto à sua aparência. Não vai demorar muito — ela explica, aproximando-se de mim com um pente e alguns grampos na boca. Ela está a ponto de cuspir num lenço e passá-lo em meu rosto.

Seja forte, Anna. Seja forte.

12

Ao chegarmos à água, são quase onze horas e o rímel à prova d´água de Frankie parece pesado e tolo em mim. Temo que todos os bons lugares na praia estejam ocupados, mas Frankie me garante que haverá espaço quando nos aproximarmos do canto da praia, bem longe dos "velhos".

A outra extremidade é uma praia bem diferente — um trecho distinto de areia sem boias, vendedores de cachorro-quente, salva-vidas ou pessoas.

Ela tem *uma* coisa que falta em nossa praia: um alerta de Proibido Nadar.

— Está vendo? — pergunta Frankie. — Reservada por completo. Nada de crianças gritando ou famílias irritantes.

— Ou testemunhas.

— Não seja infantil, Anna.

— Frankie, se está dizendo Proibido Nadar é por alguma razão. Pedras pontudas? Tubarões? Correnteza?

— Diz Proibido Nadar só porque não é uma praia pública, por isso não tem salva-vidas — explica ela, se abaixando para abrir a canga. — É a mesma água, Anna. Se houver tubarões aqui, haverá tubarões na nossa praia também. Eles não sabem ler placas.

— Como você ficou sabendo deste lugar? — pergunto, repousando minha sacola e, com ela, a discussão sobre tubarões.

— Pelo meu irmão. Ele vinha para este canto às vezes.

A praia está sempre cheia de gente, ele me disse ano passado algumas noites antes de viajar para cá. Estávamos sozinhos na sala de estar, fingindo assistir a um filme enquanto Frankie cochilava na poltrona a nosso lado. *Mas há um lugar de que gosto, mais distante. Às vezes eu vou lá para ler e pensar. O mar ajuda a limpar a mente.*

E para olhar as meninas, eu completei.

Bom, claro. Ele riu. *Mas não nesse lugar. Ninguém vai lá, tirando alguns surfistas. Não há salva-vidas. Só a água e as pedras. Uma vez fiquei lá sentado por três horas, só ouvindo a água e imaginando o que há nela.*

Olho para a água e penso a mesma coisa, evitando imaginar que eu poderia estar ocupando o mesmo lugar de Matt, olhando para o mesmo mar azul, me fazendo as mesmas perguntas infinitas e sem resposta.

O que veríamos se o mar secasse como uma gigantesca banheira?

Enfio os dedos dos pés na areia, esperando que Frankie diga alguma coisa.

— Aqui, me ajude com a canga. — ela me dá um dos cantos e estica o pano do outro lado.

— Certo, a canga está esticada — digo, ainda lutando contra a imagem de Matt aquela noite, no sofá, me falando de suas coisas preferidas da Califórnia. — E agora? É só ficar aqui o dia todo até que algo interessante aconteça?

Frankie se ajeita até ficar em sua melhor pose — barriga chapada, lábios entreabertos, pernas meio curvadas, o bumbum empinado.

— Você vai ver.

— Você vai ficar deitada aí?

— Foi para isso que inventaram a areia da praia, Anna.

— E a água?

— Está brincando? Acabamos de arrumar o cabelo!

Ela adorava nadar. Ela e Matt me falavam disso nos cartões-postais — de todas as horas que passavam na água, a pele enrugada e os olhos queimando de arder por causa do sal, de nadar e pegar ondas, jogando frisbee com os amigos de verão, às vezes boiando de costas.

— Frank, vamos para a ág...

— Ai, meu Deus, Anna. Olha, gatões. E são dez da manhã.

— O quê? — Viro a cabeça para ver o que ela está olhando, e olhe que está mais para duas horas do que para dez, mas quem liga?

— Não *olhe!* — Ela belisca minha coxa. — Aja com naturalidade. Lá vêm eles.

Deito-me ao lado dela, tentando adivinhar o que significa agir "com naturalidade". Decido imitar sua posição, mas mantenho a canga e tenho os braços cruzados sobre o peito. Para quem olha, alguém que não seja os meninos que estão se aproximando com rapidez, devo parecer fria. Ou bastante irritada.

— Ah, Anna! — Frankie diz numa voz exagerada quando os meninos estão próximos. — Estou com *muito* calor. Pode me passar a água?

Ela está brincando?

Ela me olha com ansiedade, os olhos arregalados, quase irritados.

Ela não está brincando.

Sento-me e pego uma garrafa de água de minha sacola de praia. Os meninos estão a uns seis metros de distância, olhando para nós de boca aberta enquanto Frankie toma uns goles de maneira totalmente inapropriada.

— Ei! — diz um dos caras, com um meneio de cabeça masculino. — Tudo bem? — Frankie dá de ombros e acena, convidando-os para nosso até então calmo trecho de areia.

Eles trocam olhares como leões famintos que acabaram de ser convidados para um jantar na toca das zebras e se aproximam, apresentando-se como Warren e Todd (ou seria Rod? Já me esqueci). Depois de trinta segundos de conversa, posso resumir suas intenções.

Beber cerveja. Conhecer menininhas. Bronzear-se.

Depois, entrar na água, repetir.

Graças à insistência de Frankie, eles se sentam a nosso lado, por sorte ao lado dela. Rod ou Todd ou quem quer que seja é o mais barulhento, incapaz de ficar sério, incapaz de se concentrar num assunto por mais de um minuto. Ele é calouro em Berkeley, estudante de biologia marinha, e o que sua namorada de faculdade não sabe não lhe fará mal, *piscadinha, piscadinha.*

Os meninos acham mesmo que esta besteira funciona com as meninas?

Frankie ri. Acho que funciona com *algumas* meninas.

Warren não é o que se pode chamar de silencioso, mas o fato de eu fingir dormir enquanto Frankie e RodTodd riem e trocam telefones não lhe dá espaço.

— Cara — diz Warren, depois de quinze minutos fitando o mar. — Tenho de ir. Vejo você mais tarde.

Abro os olhos quando ele se levanta, sua sombra está cobrindo meu rosto. Frankie dá um semibeijo em RodTodd — mais do que de amizade, mas não um beijo completo. Espero esse tipo de comportamento gratuito com alunos de intercâmbio, mas com estranhos? Estranhos irritantes? A cena toda é mais do que consigo suportar.

— Frank, acho que vi seus pais.

— É a minha deixa — diz RodTodd. — Liga mais tarde, gata.

Liga mais tarde, gata? Vou passar mal. Frankie, por outro lado, está quase pronta para ir com ele.

Os meninos saem pela praia, e Frankie procura pelos pais do lado oposto.

— Onde eles estão? — pergunta ela. — Não os vejo, Anna.

— Acho que estava enganada. Podemos entrar na água agora? — Estou com calor, entediada e ficando de mau humor.

— Anna, aqueles foram dois da lista dos vinte. Por que você não conversou com Warren?

— Ele tem espinhas nas costas, Frank. Sem contar que é tão interessante quanto uma alga marinha.

Frankie ri.

— Certo. Mas ainda estou contando como dois. Com eles e os meninos que nos olhavam no Caroline's ontem, já são quatro.

— Ontem não conta — respondo.

— Bem, teria contado se meus pais não aparecessem. — Ela procura a câmera na sacola de praia e focaliza meu rosto. — Então, Senhorita Reiley, você vai ou não admitir os espécimes A e B do Caroline's na contagem oficial dos vinte garotos do verão, de acordo com o contrato original do Melhor Verão de Todos os Tempos?

Franzo a testa para parecer séria.

— Depois de uma atenção especial, a corte chega ao meio-termo. Devemos contar a dupla platônica de ontem como um único menino.

Ela concorda, segurando três dedos diante da câmera antes de virá-la para si mesma.

— Três já foram. Faltam dezessete. Nada mal para nossas primeiras vinte e quatro horas.

Reviro os olhos e tiro minha canga, pronta para entrar na água. Se chegar aos vinte garotos exige ignorar um alto padrão de higiene, uma personalidade interessante e um QI mínimo da sexta série, estou desistindo agora mesmo.

— Podemos ir nadar, *por favor*? — pergunto.

— Ah, está bem — Frankie coloca a câmera na sacola e me segue até a água, rindo nas ondas sem tubarões da beiradinha.

Entramos até que a água bata em nossos ombros, esperando para pegar impulso nas ondas mais fortes, até a beirada. A água e o ar são salgados, ferindo meus olhos e recobrindo minha pele, bem como Matt dizia nos cartões-postais.

Quando você sente o gosto da água nos lábios é como se tivesse comido batata frita. Mas não há nada igual, Anna.

— Pronta para o almoço? — pergunta Frankie depois de duas horas pegando onda. — Estou morrendo de fome.

Pegamos nossa canga esticada e as sacolas de praia e vamos para as barraquinhas perto de casa, onde pedimos cachorro-quente e fritas. Depois de nos observar comendo, um cara que parece velho o bastante para ser nosso pai se senta a meu lado na mesa de piquenique.

— Posso comprar milk-shake para vocês? Ou mais fritas?

Seu hálito cheira a leite azedo ao pousar em meu ombro.

— Claro — diz Frankie. — Quero um milk-shake de chocolate.

Ele sorri.

— E você, querida?

— Estou bem — digo, chutando Frankie sob a mesa. Impressiona-me o fato de Frankie encorajar esse pedófilo geriátrico a passar mais tempo conosco.

— Tem certeza? Vou lhe comprar um milk-shake de *cereja*, que tal?

Frankie responde por mim.

— Ela *adora* cereja.

Ele pisca para nós e se dirige à barraca.

— Frankie, pegue suas coisas — digo. — Vamos embora.

— De jeito nenhum. Isso é mais diversão do que tive num ano inteiro.

— Ele é um *velho.*

— Vamos conseguir milk-shakes de graça, certo?

Sua lógica me assombra.

— A que custo? — pergunto.

— Calma, *mamãe.*

O homem de couro volta antes que eu possa convencer Frankie a ir embora. Ela esfrega seus dedos nos dele ao pegar o milk-shake, e os olhos dele se detêm nos seios dela por muito tempo antes de ele se voltar para meu lado da mesa.

Sem conseguir suportar seu hálito azedo de álcool em minha pele, somos salvas por uma mulher também enrugada, de vestido rosa.

— Harold, o que você está fazendo? — Ela amassa um cigarro pela metade na areia com a sandália. Sua voz é rouca, e a pele bronzeada e flácida de seus braços balança. — A Márcia está esperando no carro.

— Já estou indo, querida. — Ele revira os olhos e sai da mesa de piquenique; dá um trabalhão quando se está bêbado. — Aproveitem os milk-shakes, meninas. Quero dizer, *senhoras.*

A Senhora Harold o pega pelo braço e o leva até o carro, repreendendo-o pelo caminho.

— Não vamos beber isso. — Pego o milk-shake de Frankie e o jogo na lata de lixo. Frankie ri.

— Certo, irmãozão — ela gargalha. Quase rio, imaginando o que o seu irmãozão de verdade faria se testemunhasse aquele incômodo diálogo.

— Então o Melhor Estuprador era qual número? — ela pergunta. — Quatro ou cinco?

— Não o estamos contando — digo. — Este é o Verão dos Vinte Garotos, não o Verão dos Vinte Velhos Sujos.

— Parece que já temos um nome para a viagem do ano que vem — debocha Frankie, arqueando as sobrancelhas. Ela pisca para mim e vai até o balcão pedir dois novos milk-shakes, sem soporíferos.

Nada disso entra no relatório final que fazemos para Red e Jayne durante o jantar, quando eles nos perguntam sobre nosso dia na praia.

— Tivemos o melhor dos dias — conta Frankie, mostrando gravações pré-selecionadas de nossa diversão ao sol. Depois do almoço, gravamos vídeos na parte tumultuada da areia com esse objetivo. — A praia estava cheia, mas ainda assim nos divertimos na água.

Red passa pratos de comida chinesa que Jayne fez para nosso primeiro jantar oficial na casa depois do arroubo da noite anterior, feliz porque sua filha e a melhor amiga dela tiveram um belo dia na praia de Zanzibar.

— Estou feliz que decidimos ficar — ele confessa, sorrindo.

13

Na manhã seguinte se repetem todos os afazeres de nosso primeiro dia na Califórnia, mas eu já estava preparada. Enquanto Frankie toma banho, eu me visto e aplico um pouco de maquiagem para silenciá-la antes de nossa marcha até o lado deserto da praia.

— Se você quer conhecer os caras — pergunto ao abrirmos nossas cangas para desfrutar o segundo dia —, por que estamos aqui como duas nômades?

Se ontem foi um indicativo dos meninos disponíveis, não quero mais conhecer nenhum deles. Sinto-me mais segura na multidão — ainda mais depois de nosso encontro com Harold, o homem do milk-shake.

— Anna — ela responde, reconfigurando-se na canga como no dia anterior —, só os turistas ficam na parte cheia. Os nativos vêm para cá.

— Como você quiser — digo. — Mas vou nadar. Não quero ficar estendida no sol.

Tiro a canga que cobre meu corpo branco, ainda sem me acostumar a mostrar tanta pele em público. Aplico outra camada de protetor solar e espero que ninguém esteja observando enquanto entro na água.

O mar não está tão quente quanto no dia anterior, mas meus pés se acostumam logo, permitindo que eu entre até a cintura. Ao longe, famílias em férias entram e saem da água, suas risadas pairando pelo ar úmido.

Olho para trás para ver Frankie. Ela sorri e acena, reposicionando-se na canga de modo que consiga alcançar a mistura de trilhas sem precisar se sentar.

— Fique onde eu possa vê-la — grita ela. — Preciso filmar isso.

O canto da praia está silencioso hoje. À medida que a água avança e recua em minhas coxas, minha mente vaga em direção à conversa que tive com tia Jayne na noite em que fizemos anjos de areia. Quanto ela sabe? Será que ele *lhe* contou sobre nós? Será que ela viu que nos beijávamos na pia cheia de louça quando achávamos que ninguém estava olhando? Será que ela apenas deduziu? E a que ela estava se referindo quando disse que ele tinha o mesmo olhar quando falava a meu respeito? Matt e eu passamos tanto tempo falando sobre quando, como e o que diríamos a Frankie... nós nunca chegamos à parte de falar para os outros.

Uma nova onda de borboletas paira em meu peito ao pensar nisso, e tenho de fechar os olhos para eliminá-la. *Matt está morto, lembra?* Aquelas borboletas não têm para onde ir, exceto para a escuridão, batendo as asinhas até se partirem.

— Ei, *virgem!*

O adjetivo é tão áspero e inesperado que demoro alguns segundos para perceber que se dirige a mim. Viro-me e encontro Frankie rindo na canga, à sombra de dois caras bronzeados com pranchas de surfe — o perfeito clichê californiano.

— Virgem, certo? — pergunta a voz outra vez. Ela vem do cara alto com cabelo loiro caindo sobre os olhos. Frankie ainda está rindo, e meu corpo inteiro fica quente e vermelho, apesar da água fria. Se Frankie acha que vai apenas me leiloar, bem... Não sei. É difícil ser esperta quando se está tentando provocar uma lula gigantesca a engoli-la e levá-la para as profundezas do mar, para nunca mais ser vista ou ouvida ou ridicularizada.

Mergulho para a água cobrir meu peito.

— Qual é?

— Hum, vocês nunca surfaram antes? — O loiro meio que pergunta e afirma, abrindo os braços como se esperasse um aplauso por sua inteligência.

— Volte, Anna! — Frankie acena. — Venha conhecer nossos novos amigos.

Olho para trás para confirmar que a lula gigante ignorou meu pedido telepático, depois volto a me concentrar, deixando que minha canga flutue pela água e envolva meu corpo ao emergir das ondas. Não funciona, então penso em fingir cãibras e logo abandono a ideia, pensando que, se fingisse me afogar, um deles podia se lançar ao mar e pôr suas mãos em mim. Não o loiro, eu imagino. Ele está ocupado demais admirando as medidas de Frankie.

Avanço nadando para fora da água, o que parece mais sexy do que sair caminhando, pois você fica com o peito para fora da água e tem que marchar como se suas pernas fossem pistões para conseguir sair do mar. A lula gigante pode não estar interessada em *mim*, mas vou me certificar de que Frankie parece boa e saborosa quando tirá-la da cama hoje à noite e sacrificá-la aos deuses do mar.

— Ei — digo, tentando parecer casual ao tirar minha canga esticada dos cotovelos firmes de Frankie. — Sou Anna — Completo, com a canga em volta da cintura, estendendo a mão para o loiro, que se chama Jake.

— Por que, Anna Abigail, você é tão certinha? — Frankie ri, com um ligeiro sotaque sulista. Ainda estou com raiva dela por dar vazão à piada sobre minha virgindade e me pergunto em poucas palavras se um cumprimento mais adequado, menos certinho, seria tirar a parte de cima de meu biquíni e girá-lo sobre a cabeça feito um laço. Antes de poder responder, Frankie está de pé, tirando areia do bumbum em câmera lenta. Jake olha para ela. O outro, Sam, balança a cabeça e ri para mim.

— Desculpe pelo meu primo mal-educado — diz ele, e seu sorriso me faz esquecer por um momento minha irritação.

— Então, de onde vocês são? — pergunta Jake.

— Nova York — responde Frankie, sem esclarecer que somos do norte do estado.

— Sério? —Jake pergunta. — Que legal.

— Isso mesmo — ela diz, examinando as unhas e vestindo uma carapuça de nova-iorquina que nunca teve.

— Como é lá no verão? — Jake quer saber.

— Ah, você sabe — Frankie responde. — Nunca é monótono. Por isso viemos relaxar na *Cali.* — Ela bebe um gole de água e lambe os lábios, olhando para o mar. Jake parece maravilhado por aquela mulher misteriosa e intrigante: Frankie, herdeira de Nova York, jantando com as estrelas, andando com os ricos e famosos, arriscando a vida todos os dias nas ruas. Na verdade, antes de irmos para a Califórnia, há apenas dois dias, nossas atividades de verão incluíam aventuras empolgantes como deitar ao sol fazendo palavras-cruzadas, simular entrevistas com a câmera de Frankie, experimentar máscaras faciais feitas de aveia e maionese e ir com mamãe e papai a um festival culinário, apostar cinco dólares tentando adivinhar qual de nossos vizinhos malucos se vestia como ketchup e mostarda.

— E quanto a vocês? — pergunta ela.

— Moramos aqui — Jake diz. — Não na praia, na cidade. Nada como Nova York. Lá é incrível.

Penso em nossos vizinhos usando fantasias de molho. Incrível. Demais.

Pronto para avançar na conversa, Jake se volta para a água e anuncia em alto e bom som, na direção de Frankie, que é "hora de se molhar". Ela solta um "ah, é mesmo?" exagerado e arruma o biquíni no traseiro, soltando-o com um barulhinho, clop, antes de seguir Jake rumo à água.

Sam se vira para mim e sorri. Por alguns segundos dançamos uma espécie de tango no qual ambos tentamos falar ao mesmo tempo e acabamos rindo sem dizer nada. Frankie acena da água e Sam dá de ombros, olhando para mim.

A despeito de meu desprezo pelo tema dos vinte garotos, algo em Sam me atrai. Com cabelos bagunçados e loiros manchados pelo sol e olhos verdes, sem dúvida ele é bonito. Sem acne nas costas. Sem o astral de um velho. Parece inteligente.

Em outras palavras, todo errado para mim.

— Certo, Anna Abby de Nova *Yawk* — ele começa, acenando para sua prancha. — Quer tentar?

Devo ter dito que sim, porque deixo a canga de lado e o sigo até a água, sem prestar atenção a seus músculos bem definidos, à estria no lado esquerdo acima de seu quadril ou à sensação estranha em minha barriga quando ele olha para trás e sorri para mim.

Absolutamente *nenhuma* atenção. Ne-nhu-ma.

Na água, Frankie está deitada na prancha de Jake, remando com os braços enquanto ele explica o básico.

— Este canto da praia é ótimo para aprender porque a água é bem calma — diz Jake com a mão nas costas dela, como se fosse a única coisa que a estivesse prendendo na prancha. — Na parte popular da praia tudo fica cheio e tumultuado. Agora a primeira coisa que você vai fazer é sentir o peso da prancha e como ela reage ao seu corpo. — A habilidade dele como professor é tão boa que me pergunto se os dois andam pela praia todos os dias, com as pranchas em riste, para causar boa impressão às meninas.

— Ele é professor — explica Sam.

Ah, não! Será que falei em voz alta?

— Ele é mesmo um bom professor, apesar do ego — Sam completa.

— Sam — Jake chama, arqueando a sobrancelha. — Não confunda ego com confiança na própria capacidade.

— Por favor, continue — diz Sam, com um aceno exagerado.

— Como eu estava dizendo, você rasteja, os joelhos ficam contra a prancha, com seu corpo o mais próximo possível, como se você fosse beijá-la. — Ele orienta Frankie, movendo as mãos pelo corpo dela como um escultor.

Jake continua sua aula enquanto Sam prepara a prancha para mim. Quando me movimento para subir nela, minha perna resvala na dele na água, a pele nua contra o tecido molhado de sua bermuda, e eu sinto uma sacudida de cima a baixo.

Isso só me surpreendeu, só isso. Não estava esperando que a perna dele estivesse lá. Achei que era um tubarão. Ou coisa parecida.

— Você está bem? — ele pergunta enquanto subo na prancha instável.

— Estou. — A parte de minha perna que o tocou ainda está arrepiada. Sam não é tão bom professor quanto Jake, e suas mãos meio que pairam sobre mim, esperando minha permissão para prosseguir a cada passo. Quando quase viro a prancha, ele segura meu braço com cuidado para me equilibrar, e eu tenho de parecer bem, fingindo que ele é minha *professora* gorda e de meia-idade me dando uma lição de natação.

Passamos uma hora com eles na água, aprendendo o básico do bodyboard, vendo Jake se mostrar, conversando sobre a idiotice inerente da escola. Eles são um ano mais velhos do que nós e estão se preparando para o último ano. Passam a maior parte do tempo livre na praia. Jake ensina natação e surfe para os veranistas e Sam trabalha no Smoothie Shack, loja de seu primo na outra praia turística, quase a um quilômetro daquele canto da praia.

— Então basta sair carregando estas pranchas por aí procurando pelas meninas? — Frankie interroga, como se não se importasse.

— Você desvendou o mistério! — Jake responde, tirando-a de sua prancha.

— Na verdade, Jake ia me mostrar alguns novos truques — diz Sam. — As pessoas em geral não vêm ao canto da praia. O que vocês estão fazendo por aqui? Aqui é proibido nadar.

— Por favor — debocha Frankie. — Venho aqui a vida toda. Conheço esta praia inteira e nado onde quero.

— Como é que nunca a vimos antes? — pergunta Jake.

— Vocês não estavam prestando atenção. — Ela dá de ombros, ignorando que era provável que não estivesse usando um biquíni e que não tinha nada para cobri-lo. — Ou eu estava ocupada conversando com alguém.

Pelo que parecia, a apatia era o *modus operandi* do dia. Seja bonitinha e flerte um pouco e, depois, quando eles forem fisgados, diminua a temperatura, fingindo indiferença. Vodu. Funciona sempre.

— Você não falaria com outra pessoa se *eu* estivesse aqui — provoca Jake. — Quem consegue resistir a estes cabelos, este corpo? — Frankie joga água nele. Ele lhe diz que ela é gostosa. Acho que ela está apaixonada. De novo.

Enquanto isso, de volta à realidade, Sam precisa ir trabalhar.

— Passo aqui mais tarde, se vocês quiserem — ele diz. — Se gostarem de smoothie, sou a pessoa certa.

— E quanto a nossa aula? — Frankie pergunta. — Não fizemos nada.

— Essa foi a primeira lição — Jake responde. — A segunda parte começa amanhã, no mesmo horário e lugar.

— Talvez tenhamos outros planos — Frankie diz, mas nós não temos. Não só estaremos aqui quinze minutos antes da hora marcada como passaremos duas horas escolhendo o figurino de Frankie e ensaiando suas falas.

— Vamos, cara — Sam chama Jake. — Vou me atrasar.

Saímos da água e vamos em direção a nossa canga. Frankie abraça Jake, mas Sam sorri para mim com um ligeiro arquear de sobrancelha — *esperançoso? Curioso? Sem a menor ideia?*

— Vejo você mais tarde, Anna Abby de Nova *Yawk* — ele se despede, se virando e desaparecendo pela praia com Jake.

— Ah, meu Deus! — diz Frankie, deitando-se na canga. — Eles são *tão* gatos!

— Frank, só se passaram dois dias e meio. Não vamos chegar a vinte se você desistir da busca e se casar amanhã. — Enrolo minha canga na cabeça, como um véu. — Aceita? Aceito! Aceita? Aceito! Ah, Jake! Você precisa me contar quem faz as suas luzes.

Frankie ri e me ataca com a canga.

— Ah, certo, senhorita. "Sam, segure a prancha para mim! Sam, como você faz isso? Sam, quero ver você pelado."

— Ah, pare! — Rio com Frankie. — E quanto ao pobre RodTodd? Você não vai ligar para ele?

— Está de brincadeira? Aquele cara é nojento.

— Por que você o beijou?

— Não foi um beijo!

— Hummm, *certo*. Então por que você deu seu celular?

— Anna, juro, às vezes você é tão... tão *aretusa*.

— Você passou o número falso... Pera lá, do que você me chamou?

— Aretusa. Você sabe, densa.

— Frank, acho que você quis dizer *obtusa*.

— Você entendeu.

Balanço a cabeça e rio.

— Ei, este aqui é o protetor solar. Experimente um pouco.

— Não, obrigada. Ao menos conhecemos uns caras decentes hoje — ela diz, deitando-se de bruços e tirando a parte de cima do biquíni. — E nós duas queremos caras diferentes.

Coloco os óculos escuros e apoio a mão na perna — a parte que tocou a perna de Sam na água. A parte que ainda lateja.

— Não quero ninguém.

— O que há de *errado* com você? — ela pergunta, como se fosse uma médica incapaz de diagnosticar minha estranha combinação de sintomas improváveis. — Sam estava analisando você inteirinha. E parecia que vocês estavam se divertindo.

Dou de ombros, de repente remexendo minha sacola em busca de um livro. Deve ter um milhão de coisas que posso dizer para ela se calar. Ele não é bonito o bastante. Não gosto de seus cabelos. Vi alguém mais perto da casa que quero investigar. Mas nada disso é verdade. A verdade é algo que *não* posso dizer — se posso me interessar por Sam, estou me esquecendo de Matt.

14

Enquanto Frankie tira uma soneca na canga a meu lado, leio o mesmo parágrafo do livro umas cem vezes, sem absorver nada. Estou pensando em outra coisa. *Meu livro tem trezentas e uma páginas. Onde vamos jantar? Uau, a areia é cintilante!* Mas daí Sam invade meus pensamentos — pensamentos que se tornaram perigosos e precisam de pouco encorajamento para se desvirtuar.

O sorriso dele. *Pare, Anna!*

Seus olhos verdes. *Foco, foco!*

A forma como ele diz "Anna Abby de Nova *Yawk*".

Será que vendem smoothie de morango e banana ? Aposto que ele se bronzeia o ano todo. Será que tem namorada? Talvez. Quem sabe uma de cada estado. Uma coleção de turistas virgens esperando para ver quem será especial.

Penso na menina que vi no espelho quando Frankie e eu estávamos comprando trajes de banho. Quando concordei, brincando, com o concurso dos vinte, para o bem de Frankie. Além do mais, não posso me envolver com ninguém aqui. Compromisso. Todas aquelas palavras e sentimentos e intenções se entrelaçando em algo mais confuso do que meus cabelos — *não,* obrigada. O último menino que me atraiu daquela forma morreu.

Pensar em Matt revira meu estômago de novo. Esfrego os olhos e me concentro na água diante de nossa praia exclusiva, onde tubarões, a correnteza e os meninos podem ou não esperar para nos levar para o mar.

Chuá, chuá, chuá...

Medito. Limpo a mente. Sou a mestre de meus pensamentos. Minha mente está limpa. Estou flutuando. Sou uma pena, de cabeça vazia, flutuando ao vento.

Chuá...

O Sam disse que deveríamos tomar um smoothie hoje à noite ou amanhã?

Desisto.

Preciso sair desta praia, voltar para o silêncio frio da casa. Guardo meu livro na sacola e acordo Frankie.

— Vamos voltar. Estou com fome. — Esfrego o ombro dela com cuidado, sentindo o calor de sua pele rosada. — Frank, acorde. Você está toda quente.

Ela se remexe para amarrar a parte de cima do biquíni.

— Eu sei. Acho que este biquíni foi a melhor ideia que tive no ano.

— Não, quero dizer que você está quente *mesmo.* Sua pele está toda queimada.

Quando ela se senta, suas costas estão rosa-choque.

— Você não passou protetor solar antes de sair de casa? — pergunto.

— A mamãe me obrigou a passá-lo ontem. Mas por que eu deveria bloquear o sol dois dias seguidos? — Ela se balança para a frente e para trás como um peixe na água para conseguir ver suas próprias costas. — Preciso aplicar uma loção para não arder mais tarde.

— Você já está toda queimada — digo. — Não acredito que não esteja doendo.

— Estou bem. — Ela se levanta para tirar a areia da canga. — Deixe de ser tão paranoica. Você pode ganhar um pouco de cor, fantasminha.

Voltamos para casa fazendo vídeos das paisagens e dos vendedores perto da propriedade, para o caso de Red e Jayne se interessarem.

Eles estão lendo na varanda quando voltamos.

— Dia difícil? — pergunta Red ao deixarmos nossas coisas no chão e tirarmos as sandálias. — Não esperava vê-las até que... *Frankie*, o que você fez?

— Eu peguei no sono — diz ela, dando de ombros. — Mas estou bem. Só cansada. — Ela se joga no sofá e fecha os olhos antes que Jayne possa avaliar o estrago e regurgitar outra lição de moral sobre os perigos do sol.

— É a mesma coisa todo ano — Jayne comenta, balançando a cabeça. — Anna, vou colocar gel de lidocaína na geladeira. Ela não vai pedir, mas vou lhe dar mais tarde, quando ela não conseguir vestir o pijama.

Jayne segura um frasco tamanho família de uma substância pegajosa azul.

— Devemos cancelar nossa reserva e comer em casa hoje à noite? — pergunta Red. Mas Jayne diz que Frankie não deixará de comer lagosta por nada, por isso passamos uma hora jogando baralho na cozinha antes de acordá-la para o jantar.

Frankie está visivelmente ardida, mas, como Jayne previu, não está disposta a desistir da lagosta. Ela mal consegue andar, mas de alguma forma consegue tomar um banho frio e passar uma hora se maquiando e arrumando o cabelo. Não pode revelar a ninguém o quanto dói, com medo de que Red e Jayne a obriguem a usar camisas de mangas compridas e calças pelo restante da viagem. Se eu fosse uma amiga melhor, é provável que fosse solidária e me oferecesse para carregar sua bolsa ou coisa parecida, mas ver a menina dramática tentar esconder a dor é divertido demais.

Ela se sai bem com o teatro, mas fica de mau humor a noite toda, reclamando de coisas sem sentido em vez de reclamar do problema real das queimaduras de décimo grau em suas costas e pernas.

— Quanto tempo temos de esperar por uma mesa, papai? Está demorando. E...

— Como um lugar pode não ter ginger ale[2]? Quem administra um restaurante e não tem ginger ale? E...

— Nosso garçom parece estar em treinamento. Quem não sabe descrever um molho de mahimahi? E...

— Está tão quente aqui. Que tipo de lugar não tem ar-condicionado no meio do verão?

— Eu *disse* que não quero água, obrigada.

Assim, ela acena para o ajudante de garçom que serve água em um jarro de plástico. Seja a aparência de Frankie, suas queimaduras ou seu comportamento, *alguma coisa* o distrai. Ele derrama todo o jarro no colo dela, tateando em câmera lenta para impedir a força da gravidade de levar a água até seu destino final, pela camisa e pelo colo de Frankie.

Frankie grita e se levanta da mesa, toda molhada na parte de baixo. O pobre ajudante se põe a agir, pegando um guardanapo da mesa vazia atrás de nós e tentando acenar diante de Frankie, sem tocar no corpo dela, para não provocar uma cena ainda pior. Red, Jayne e eu estamos perplexos, cada um segurando uma gargalhada. Um movi-

[2] Refrigerante feito à base de gengibre.

mento errado e perdemos as estribeiras, sei que sim. O ajudante, que deve estar temendo por sua vida, pede desculpas e procura o gerente.

— Desculpe, senhor — diz o gerente. — O jantar de sua família vai ser por conta da casa esta noite. A sobremesa também.

— Não se preocupe com isso — responde o pai de Frankie, tapando o rosto com um guardanapo para esconder um sorriso. — Ela estava mesmo com calor. Hora perfeita.

Ao ouvir isso, Jayne e eu não conseguimos mais nos conter. Nossa risada confunde o gerente, que finge ter uma emergência culinária e implora que o chamemos se houver algo que ele possa fazer para melhorar nossa recepção.

Frankie se afasta da mesa e vai para o banheiro feminino como um tornado raivoso.

Eu queria ficar na mesa com Red e Jayne e tomar os daiquiris de morango com creme (sem álcool, claro) que o garçom trouxe (de graça, claro), mas depois de dez minutos me sinto na obrigação de ver nossa diva furiosa.

No banheiro feminino, ela está na pia, limpando o rosto com uma toalha de papel úmida.

— Vamos lá, Frankie — digo. — Volte para a mesa. Trouxeram daiquiris de morango.

Ela me ignora e joga fora o papel-toalha.

— Vamos, admita que até que foi divertido — digo.

— Ótimo. Vou pedir ao ajudante que jogue um galão de água gelada em *você*, daí vamos ver como é divertido.

— Frankie, você estava reclamando do calor. É tipo uma resposta do universo.

Ela se faz de ofendida, mas posso ver um sorriso se insinuando em seu rosto.

— Você está fantástica, por sinal — digo, apelando para seu lado mais suscetível. — E deve ter sido por isso que ele derramou a água. Ele ficou paralisado com sua beleza. Em termos técnicos, você deveria interpretar isso como um elogio.

— É verdade. — Ela dá de ombros e limpa um pouco do delineador de seus cílios.

— Vamos voltar — eu peço. — Seu pai pediu lagosta.

Ela abre a porta.

— Perfeito. Mais piadas à minha custa. — De volta à mesa, Red e Jayne pedem desculpas por rir da filha e se oferecem para nos levar até o minigolfe depois do jantar.

Depois de nos saciarmos de frutos do mar e sobremesas, sem falar naqueles daiquiris, vagamos pela Moonlight Boulevard em busca do melhor minigolfe, que é um lugar temático chamado Pirate's Cove. O local está cheio de velhos que andam bem devagar e contam mesmo os pontos, crianças que abandonam seus tacos e colocam as bolas nos buracos com as mãozinhas grudentas e pessoas como Frankie e eu, que preferiam estar na loja de sucos do Sam a passar mais um tempo com seus pais.

Frankie está quase mancando por causa das queimaduras, mas Red e Jayne estão tão empolgados que seria cruel interromper a diversão deles. Além do mais, é bom vê-los rindo tanto.

— Numa só tacada! — Red joga o taco para o ar depois de colocar a bola no buraco, fazendo-a passar pela boca de um crocodilo de plástico. — Escreva isso no cartão, querida. Uma tacada. É um recorde!

Red e Jayne avançam para o tesouro escondido enquanto Frankie tenta o crocodilo. À medida que ela se prepara para a tacada, vejo os meninos do nosso primeiro dia no píer no caixa.

— Frankie, olhe. — Aponto na direção deles. — Seus namorados do Caroline's.

Ela se vira para olhar e depois se esconde atrás de mim.

— Achei que você estivesse brincando. Esconda-se!

— Outro dia você estava praticamente posando para eles.

— Anna, não quero que ninguém me veja assim.

— Então você admite que está parecendo uma lagosta frita? — Saio na frente dela, imitando seu mancar em câmera lenta.

— Pela última vez, isso é só uma base que passei! Estou falando de ser vista com *eles*. — Ela acena para Red e Jayne, que estão se cumprimentando sob uma bandeira de caveira dois buracos à frente.

— Vamos, suas velhacas! — grita Red para nós, gerando olhares empáticos dos patronos dos buracos cinco a sete. — Vamos logo ou vocês vão andar na prancha.

Certo, Frankie tem razão. Seguro a mão dela e vamos para o penúltimo buraco, para longe dos pais piratas e, o mais importante, para longe dos meninos do Caroline's. Pensando bem, eles não são tão ruins. Ainda assim, Sam é muito melhor.

Anna! Você está enrolada. Quase dez minutos inteiros sem pensar nele!

Concluímos nossos dois últimos buracos com pouco esforço e devolvemos nosso equipamento, esperando no bar até que Red e Jayne completem os buracos em sua própria fantasia pirata.

— O que vamos fazer depois? — pergunto.

Frankie paira sobre um banco de ferro, tentando se sentar sem causar mais dor em suas costas queimadas.

— Talvez nada — diz ela. — Você sabe que o papai e a mamãe vão para a cama cedo. Por quê?

— Estou louca de vontade de tomar um smoothie.

— Não entendo você — digo no caminho de volta para casa. — Você é que estava tentando me fazer matar o A.A. e nem quer vê-los hoje à noite. Eles nos convidaram!

Já passa das dez, Red e Jayne foram para a cama há muito tempo e eu estou tentando convencer Frankie a dar uma fugida. *Eu.* Tentando convencê-*la*. Passaram-se apenas três dias, eu mal me reconheço.

— Meu Deus, Anna. Parece que você nunca ficou com um cara antes. Ah, certo, você nunca ficou mesmo! — Frankie joga um travesseiro em minha direção.

— Ah, cale a boca. — Isso é bobo, mas não posso corrigi-la.

— Vá, se quiser — diz ela. — Mas eu vou ficar bem aqui. — Ela demonstra dor ao se deitar no lençol frio.

— Admita. — Sento-me na beirada da cama. — Admita que está com vergonha da sua estúpida queimadura e que é esse é o único motivo pelo qual não quer ir.

— Anna, só não quero quebrar as regras, certo? — Ela me olha com uma seriedade falsa, dando início a uma reação em cadeia de risadas histéricas. Eu me inclino sobre ela, de mãos abertas, e ameaço lhe dar um tapa na pele tenra de seus braços se ela não retirar o que disse.

— Certo, você venceu! — ela diz, ainda rindo. — Está queimando! Está queimando!

— E? — pergunto, aproximando minha mão.

— E eu pareço uma turista!

Satisfeita com a humildade de Frankie, pego o frasco de lidocaína da geladeira, dando-lhe um alívio temporário da própria estupidez.

Mais tarde, depois que nos ajeitamos na cama e aceitamos nosso destino como um todo, cidadãs da comunidade praiana ao menos por uma noite, Frankie me aconselha a pegar leve com Sam.

— Sam e Jake são apenas os números quatro e cinco na nossa lista. Não quero que eles pensem que estamos mesmo *interessadas*, Anna — ela aconselha, provavelmente procurando em sua memória por outra referência a Johan para demonstrar seu conhecimento sexual.

— Certo — concordo. — Não estou. Interessada, quero dizer. Estou só comentando, é isso.

15

Graças às queimaduras de Frankie, somos obrigadas a ficar dentro de casa jogando baralho e tomando sorvete o dia todo. Até mesmo tio Red e tia Jayne estão se divertindo mais do que a gente, correndo pela manhã, nadando à tarde, lendo durante horas ao sol. Estou ficando maluca.

Não quero mencionar isso a Frankie de novo, para que ela não me acuse de ser ansiosa demais, mas não consigo deixar de pensar em Sam (que, a esta altura, já deve ter encontrado outra turista que não ignora convites para lições de surfe e smoothies. Anotação mental: se Frankie sobreviver à queimadura de décimo grau, mate-a).

Frankie por fim anuncia seu retorno triunfante à civilização às oito horas da manhã seguinte, acordando-me para dar início ao longo e doloroso processo de preparo para um mergulho no mar.

Talvez seja o sol, a maresia ou a preguiça californiana, ou os pensamentos em Sam com a nova princesa da praia que é provável que ele tenha encontrado em minha ausência ontem, mas, dessa vez, sou toda de Frankie. Vejo-me na porta e deixo que ela faça seu vodu. Presto atenção. Observo, ouço e faço perguntas sobre seu penteado e técnicas de maquiagem como se meu futuro inteiro dependesse disso. Deixo que ela passe gel em mim e me pinte até eu parecer dez anos mais velha. Pintamos nossas unhas, escolhemos nossas sandálias com cuidado e até mesmo combinamos as sacolas de praia com nossas cangas. Nenhum menino pode resistir a tanta coordenação e a tanta beleza *junta*!

Praticamos nosso caminhar pela varanda até que Red e Jayne saiam para um dia de golfe *de verdade*, prometendo nos encontrar em casa para almoçarmos juntos.

— Lembre-se, Anna — Frankie diz ao cruzarmos o jardim até as escadas que levam à praia. — Ombros para trás, barriga para dentro, seios para fora.

Faço como ela me instrui, sugando e ressaltando e contorcendo as partes certas na hora certa ao acompanhá-la até o canto da praia, rezando ao Deus dos Momentos Mais Vergonhosos para que eu não tropece.

Ao nos aproximarmos da curva, na orla que contorna nosso cantinho, sinto-me naquele momento aliviada por ver dois caras na água. Mas, ao nos aproximarmos, percebo que nosso lugar está tomado por outros turistas, e Sam e Jake não estão entre eles.

— Eu sabia — digo, deixando a sacola cair antes de nos aproximarmos. — Eles desistiram de nós.

Frankie pega minha sacola e a entrega para mim.

— Vamos lá, Anna. É só um cara. Esquece.

Mas nem mesmo ela consegue disfarçar seu descontentamento ao procurar seu adorado loiro californiano na água.

— Devemos voltar? — pergunto, tentando não parecer decepcionada. Sei que só cruzamos com eles, mas mesmo assim...

— Acho que sim.

— Espere! — eu quase grito. — Talvez estejam na lanchonete. Sam disse que não é longe daqui. Podíamos...

— Você e seus smoothies! — Frankie ri. — Achei que você não estivesse interessada.

— Não estou. Só... quero dizer... você não quer aprender a surfar?

Ela me encara, tentando avaliar a mancada de meu argumento dissimulado. Depois, rindo, pega o restante das coisas e nos guia adiante, ultrapassando o canto da praia, mais longe do que jamais nos aventuramos.

— Operação Smoothie com força total — Frankie anuncia, pegando a câmera. — Que tenha início a contagem regressiva do albatroz perdido.

Andamos lado a lado, abrindo caminho por uma multidão cada vez maior de turistas cheios de óleo, fazendo comentários para o vídeo. Quando não aguento mais ver velhos branquelos de sunga, Frankie avista a placa da Smoothie Shack.

Saímos correndo pela areia, nossa energia e esperança renovadas pela placa de madeira com letras verdes e amarelas. Sam está atrás do balcão e sorri ao nos ver, fazendo nosso passeio valer totalmente a pena.

— Estarei livre em dez minutos — ele grita atrás do balcão. — Vamos sair?

Frankie enfia a câmera na sacola e encontramos um lugar perto do balcão. Depois da longa caminhada por entre pessoas branquelas e criancinhas de fralda, acamparíamos ali a noite toda se fosse necessário.

Dez minutos mais tarde, Sam se junta a nós com três smoothies de banana com coco ou algo parecido — o seu preferido. Ele distribui as bebidas e se senta a meu lado.

— Ei. O que você fez com seu...? Quero dizer, você parece diferente. — Meu rosto fica vermelho. Não que o olhar mediano dele pudesse notar, ainda mais com toda a maquiagem que estou usando. — Frankie e eu nos fizemos uma baguncinha hoje de manhã.

— Ah! — ele diz, fazendo nós com a embalagem de seu canudo. — Ficou bacana, eu quis dizer. Mas é que não consigo ver você desse jeito. Só isso.

Faço uma anotação mental para dispensar a maquiagem amanhã. Depois fico com raiva de mim mesma por deixar um menino que acabei de conhecer dizer o que devo fazer com meu rosto.

Então fico com raiva de mim mesma por ficar com raiva de mim mesma e me lembro de que eu também prefiro uma aparência mais natural.

Está vendo? É por esse exato motivo que não quero me envolver com ninguém.

— Onde está o Jake? — pergunta Frankie, tentando soar como se não se importasse. Faço uma expressão de beijinho pela mesa quando Sam não está olhando. É claro que ela se importa.

— Ele está dando aula. Vamos nos encontrar em uma hora. Venham comigo. — Ele acena como se estivesse tudo acertado. — Achamos que vocês tivessem nos dispensado.

Quero deixar as coisas às claras.

— Frankie teve uma...

— Anna — Frankie interrompe, dando uma olhada muito séria na minha direção. — Você não precisa relatar nosso paradeiro para ele.

— Deixe-me adivinhar — Sam arrisca. — Queimadura de sol? — Ele ri, impávido e grato diante da atitude dela. Imagino que ele já tenha visto sua porção de garotas como Frankie. A maioria dos caras ignora as partes menos simpáticas da personalidade dela em favor das partes mais atraentes de seu corpo, mas de vez em quando surge um cara como Sam. Para Frankie, é vergonhoso.

— É uma *base* — diz ela. — De qualquer modo, tínhamos outros planos.

— Certo, Rosinha — brinca Sam. — Eu não estava perguntando. Só estava afirmando que vocês nos dispensaram.

Frankie abre a boca para rebater, mas Sam é rápido demais. Ele fala sobre o trecho de praia onde vamos nos encontrar com Jake e como a água é um pouco mais violenta do que no canto da praia, mas é perto o bastante da parte mais popular, de modo que os salva-vidas ainda poderão nos salvar numa emergência.

— Não se preocupem — ele diz. — Tenho a sensação de que vocês podem dar conta disso.

De volta às boas graças de Frankie, Sam limpa a mesa e deixa seu espanador atrás do balcão.

— Vamos — ele chama, abrindo a porta para nós.

Do lado de fora, ele pega a prancha nos fundos da lanchonete e nos guia pela praia por dez minutos.

O ponto onde encontramos Jake fica no outro extremo da parte turística. É um lugar mais aberto do que no canto, então há alguns surfistas na água, mas temos bastante espaço para nos espalhar.

Jake está perto da água, passando parafina na prancha. Quando nos vê, corre até Frankie e a pega num abraço atencioso, que Frankie já esperava.

— Droga, menina! — ele diz, ao recolocá-la no chão. — Você dormiu ao sol?

— É uma... quer saber? Sim — diz Frankie. — Dormi ao sol. Podemos seguir adiante agora?

Dou a Frankie um frasco de protetor solar ao nos prepararmos para o surfe, segunda parte. Desta vez ajoelhamos na prancha e pegamos onda até a praia, com Sam e Jake bem atrás. A água é mais agitada do que no canto — em parte por causa dos barcos que passam a algumas centenas de metros dali. Meio que espero Frankie fingir um acidente para ser resgatada com todo o galanteio, mas ela está tão focada em Jake, surfando e rindo com a boca aberta e a cabeça jogada para trás, que nem se lembra dos próprios truques. Até mesmo percebo alguns lampejos da velha Frankie. Claro que ela ainda exala a confiança de uma menina capaz de atrair vários salva-vidas e médicos com uma simples unha partida, mas não está fazendo aquilo de propósito.

Infelizmente para mim, ao fim de nossa lição Sam não ficou menos atraente nem menos atencioso. Contra minha vontade, que, como é notável, parece ausente nestes dias, aceito a dura realidade de que talvez eu possa estar tipo um pouquinho interessada nele.

O que significa, claro, que ele está *fora* da lista dos concorrentes ao Último Menino a Ver Minha Virgindade Viva. Claro que não posso suportar o tipo de vergonha exigida para me livrar do albatroz com alguém de quem eu talvez *goste* de verdade.

Precisamos nos encontrar com Red e Jayne para o almoço, mas concordamos em nos encontrar com Sam e Jake de novo no dia seguinte.

O amanhã logo se transforma no dia seguinte, que se transforma no próximo, e assim por diante. Em pouco tempo, Frankie e eu alternamos todos os dias entre aulas de surfe pela manhã e tarde e almoços com tio Red e tia Jayne. Acho que os pais de Frankie apreciam o tempo que passam sozinhos, mas também é importante que não lhes demos razão para não confiar em nossos relatórios diários sobre meninas nativas não existentes e de fato amigáveis, com as quais se supõe que andemos o dia todo na praia.

Ao fim da primeira semana, estabelecemos uma rotina. Refeições e outras atividades aleatórias com Red e Jayne, como exigido de uma boa filha e sua angelical melhor amiga, e manhãs e tardes com Sam e Jake. Em nosso curto tempo juntos, nós quatro nos tornamos íntimos, como só acontece com pessoas que você mal conhece — pessoas que vivem a centenas de quilômetros e vários estados de distância.

Pessoas que não sabem seus segredos.

Frankie e Jake estão se dando bem, daquele jeito que faz velhos casais se sentirem incomodados só de olhar. A única coisa que os impede de seguir adiante — ao estilo do campo de futebol de Johan — é a falta de oportunidade. Até mesmo por causa da aversão de Frankie por espaços públicos, os dias na praia eram cheios demais.

Sam quer me beijar, sinto isso. É aquele olhar que ele me lança às vezes — um olhar que já vi antes e que não tenho certeza se estou pronta para ver de novo, não por completo. Meu corpo é composto por várias partes e terminações nervosas que adorariam ver aquele olhar de novo. Mas, por sorte, meu lado lógico continua ganhando, lembrando-me de que ideias boas podem se tornar más ideias com rapidez, ajudando-me a mudar de assunto ou dar as costas sempre que o olhar se insinua nos olhos de Sam.

Frankie acha que sou louca.

— Não entendo você, Anna. Não entendo mesmo — ela reclama ao fim da nossa primeira semana com Sam e Jake. Nós estamos olhando eles fazerem manobras na água enquanto ficamos na canga. — Você gosta dele?

— Sim, mas...

— Mas o quê? Você não quer se livrar do A.A.? — Ela parece preocupada, como se minha resposta pudesse influenciar o resultado de toda uma vida.

— Acho que sim, mas...

— *Acha?*

— Frankie, eu gosto do Sam — digo, mantendo a voz baixa de modo que ele não possa ouvir. — Só que não é uma coisa que se possa forçar.

Ela me encara.

— Então não posso ajudá-la, Anna. Você vai ter de perder a virgindade sozinha.

Olho para ela e rio.

— Se fosse assim tão simples.

Sam e Jake se juntam a nós na canga, pingando água fria em nossas pernas. Antes que Sam possa perguntar se queremos refrigerante, Frankie e Jake já estão se beijando.

— Prisioneiros da luxúria — Sam diz, me entregando uma Coca-Cola.

Prisioneiros — ah, não!

— Frankie, que droga! Alcatraz! — Esquecemos totalmente que prometemos a tio Red que faríamos um passeio à tarde. De acordo com o relógio de Sam, já estamos vinte minutos atrasadas.

— Droga! — Frankie se separa de Jake e se enrola na canga.

Nós nos despedimos logo, colocamos todas as nossas coisas nas sacolas e saímos da praia, passando por turistas na rua, entre a Smoothie Shack e nossa casa de veraneio.

Aparecemos para a visita em Alcatraz quarenta minutos depois do combinado, pedindo desculpas e arfando. Red e Jayne estão sentados na mesa da cozinha, com as chaves na mão, a câmera em riste, esperando. Frankie inventa alguma história sobre almoçar com "Jackie" e "Samantha" na casa de praia de Jackie e sobre perder a hora, o que é fácil considerando que nossos celulares estiveram na mesinha de cabeceira a manhã toda. Meu rosto queima enquanto ela arruma um jeito esperto de contar a história. Atenho-me ao esmalte de minha unha, esperando que Red e Jayne nos digam que estavam preocupados e decepcionados por tirarmos proveito da flexibilidade deles nesta viagem.

Mas eles não dizem nada. Apenas dão de ombros. E dizem que ainda podemos ir e nos pedem que da próxima vez tentemos cumprir o combinado. Eu teria preferido a lição de moral comum dos pais sobre aprender a ser adulto e provar nossa capacidade de responsabilidade ou por que pagamos celulares se não os carregamos? — o tipo de lição de moral que meus pais escreveram há vários anos e com os quais contavam durante os difíceis anos da adolescência. Mas Red e Jayne parecem estar bem com a situação.

— Não se preocupem, meninas — diz tia Jayne. — Estamos felizes por vocês fazerem amigos na viagem.

Porque de algum modo isso significa que tudo vai ficar bem.

— Mas eu não me importaria de passar algum tempo com vocês duas amanhã, se estiver tudo bem para vocês — diz Jayne. — Isto é, se vocês não se importarem em serem vistas na praia com este velho fóssil.

— Claro — concordamos, sorrindo como querubins, fazendo anotações mentais para dizer a Jackie e Samantha que elas não existem, que não existimos e que, se elas nos encontrarem passeando com o mencionado velho fóssil na praia amanhã, devem continuar andando como se nunca tivéssemos nos conhecido.

Pedimos desculpas de novo, vestimos bermudas, entramos no carro rumo a Alcatraz e prometemos ao pai de Frankie que, da próxima vez, chegaremos em casa no horário.

Claro que os planos de tio Red não incluem a parte de seus dois docinhos escapulirem assim que ele e tia Jayne dormirem, mas às onze da noite esse é nosso único plano.

16

— Está na hora — Frankie entra na ponta dos pés em nosso quarto, vindo de sua missão de reconhecimento no corredor. — Eles estão dormindo.

Como a única voz da razão nesta operação, sou obrigada a resistir.

— Tem certeza de que devemos fazer isso? E se formos pegas? E se formos até lá e eles não estiverem?

— Anna, eles nos disseram que ficam lá todas as noites. Além disso, não seremos pegas. A mamãe e o papai dormem feito pedra, ainda mais depois de tomar sol o dia todo.

— Eles podem acordar para beber água ou coisa parecida.

— Não seja ridícula. Mesmo que acordem, eles não virão aqui. Só faça o que eu fizer.

Frankie pega travesseiros e cobertores do armário e os coloca na cama, sinalizando para que eu faça o mesmo.

— Mesmo que eles abram a porta, vão pensar que estamos dormindo pesado.

A Voz da Razão tenta falar de novo, mas, quando penso em Sam na praia diante de uma fogueira, a Voz da Razão, junto com sua prima, a Voz da Lógica, fica rouca.

— Certo — sucumbo. — Vamos lá.

Frankie faz mais uma excursão de reconhecimento e acena do lado de fora do quarto de Red e Jayne. Descemos as escadas na ponta dos pés, evitando o terceiro degrau, que range, e saímos, deixando a porta destrancada para nosso retorno.

Encontre-me lá fora mais tarde, ok? Matt me empurra para o corredor antes que qualquer pessoa possa nos ver.

E se meus pais ouvirem?

Anna, estamos fazendo isso todas as noites há semanas. Eles não vão ouvir. Além do mais, não aguento esperar mais doze horas para vê-la.

Sua boca está quente na minha, selando nossa promessa antes que eu possa pensar em mais desculpas.

Certo, estarei lá.

É melhor estar.

— Anna, você está comigo?

A lembrança de minha última fuga com Matt se dissolve na maresia.

— Oi? — Olho para Frankie, tentando ler sua expressão no escuro. Só podemos acender a lanterna quando descermos as escadas, fora do alcance visual do quarto de Red e Jayne.

— Cuidado com as pedras na grama. Você está indo rápido demais.

— Não, estou com você. Vamos. — Seguro a mão dela e descemos as escadas, observando os passos com cuidado. Uma vez na praia, será mais fácil descer. O som da água fica sólido a nossa esquerda, e a praia está brilhando com as luzes das fogueiras. Ainda podemos sentir o cheiro fraco dos cachorros-quentes e do bronzeador de coco dos banhistas da tarde, mas agora o cheiro está misturado com o de cigarro, cerveja e melodias de violões — campo básico dos adolescentes. Os grupos assoviam e gritam à medida que passamos, convidando-nos para nos sentar ao fogo e beber alguma coisa. Frankie adora a atenção, acenando e sorrindo para todos, fazendo vídeos curtos, mas estamos numa missão em busca de Sam e Jake, e não podemos sair do rumo.

Os meninos estão diante da Shack, como disseram que estariam quando nos despedimos mais cedo. Como outros grupos, Jake e Sam têm uma fogueira e um cooler com cerveja. Meu estômago revira um pouco quando Sam sorri para mim.

— Senti sua falta — ele diz, me entregando uma garrafa. — Não sabíamos se vocês arriscariam vir.

— Tive de convencê-la — entregou Frankie. — A Anna às vezes age como um bebê.

Tento sufocá-la até a morte com meus olhos, mas ela me abraça, rindo.

— Nós a amamos mesmo assim.

Nós quatro ficamos lá tomando cerveja e cavando buracos na areia com os pés. Contamos sobre nossa viagem a Alcatraz com os pais de Frankie.

— É na verdade um passeio bem legal — Jake diz. — Levei minha irmãzinha lá no ano passado.

— Você tem uma irmã? — pergunto, percebendo de repente que, em nossas conversas sobre o melhor e o pior da escola, carreira, comidas preferidas e música, não tínhamos falado muito sobre família.

— Três, na verdade — ele corrige. — A Katie tem treze anos. E tenho duas irmãs gêmeas mais velhas, a Marisa e a Carrie. Elas fazem faculdade na Carolina do Norte. E vocês?

Digo que sou filha única e percebo com um nó no estômago que dei início a um momento esquisito e agoniante. Olho para Frankie e faço uma cara que, com sorte, expressa como me sinto estúpida por entrar nesse assunto.

— Eu também — diz Frankie, deixando de lado sua garrafa vazia de cerveja. — Jake, vamos para a água? — Ela passa as costas da mão na boca e se vira para o mar.

— Está louca? — ele pergunta. — Não dá para enxergar nada.

— Isso mesmo — Frankie ergue a camiseta para revelar seu biquíni e a joga na areia, perto do cooler, acabando com o debate sobre "nadar ou não nadar" de uma vez por todas.

— Então vamos para a água! — Jake entrega a cerveja para Sam e joga sua camiseta sobre a de Frankie, perseguindo-a até a água.

Nossa conversa fica mais silenciosa na ausência deles, mas não vazia. O fogo é quente, assim como o clima entre nós.

— Frankie é, bem, uma menina *divertida* — Sam balança uma toalha com listras vermelhas e brancas e a estende na areia.

— Ela era supertímida, acredite ou não. — Eu me junto a ele na toalha, feliz por ter algo para fazer além de fingir que gosto de cerveja.

— Por quê? Ela era gorda ou coisa parecida?

Dou risada diante daquela ideia.

— Gorda? Deus, não. Ela... bem, ela... quer saber, não vamos falar da Frankie agora.

Não há motivos para que eu convide Matt para esta noite. Frankie disse que não queria trazer lembranças de sua vida para a praia neste verão e, até agora, a despeito de minha conversa sobre irmãos, ela não trouxe nada. A tragédia é dela, e, sejam quais forem seus tormentos, não tenho o direito de evocá-los de acordo com minha vontade.

— Legal — Sam tira as sandálias e se deita na toalha, as mãos atrás da cabeça. — Deite-se. Confie em mim.

Tiro minhas sandálias e me deito como Sam, mantendo uns trinta centímetros entre nós, para que um dedinho perdido não toque numa perna perdida e entre em combustão espontânea. Infelizmente (ou felizmente, não sei), ele se vira para me encarar. Mantenho meu rosto para cima, focado nas estrelas. Não *estou* pensando nele. Não estou medindo as partículas supercarregadas de ar entre nós, desejando que elas se tornem mais curtas e próximas. Não posso sentir o cheiro masculino e de maresia em sua pele. Não consigo ouvir sua respiração amena ou as batidas de seu coração, de frente para o meu.

— O que você vê? — ele pergunta.

Falo sobre as formas que encontro nas estrelas, a escuridão abrangente do céu. Nuvens cinza escondem o brilho do luar.

— Hummm — ele murmura. — Agora feche os olhos. — A mão dele está sobre meu rosto, os dedos fechando minhas pálpebras. O calor cai em ondas, de suas mãos para minha pele, ao mesmo tempo me assustando e estimulando.

— Tudo bem. — Ele volta a se deitar de costas, deixando frio o lugar onde me tocou. — Foque em todas as coisas que você *não consegue* ver com os olhos.

Respiro fundo e tento me concentrar na tarefa. Não quero decepcioná-lo. Não quero que ele confunda minha infantilidade com superficialidade.

— *Agora* me diga o que você vê — ele suspira.

— Bem, há a maravilhosa vista por trás das minhas pálpebras.

— Não é o que quero dizer, Anna Abby — ele diz, com a respiração cruzando o espaço entre nós e alcançando meu ouvido. — Tente de novo.

Tento e respiro fundo outra vez.

No escuro, vejo a brisa soprando em minha pele. Vejo cada grão de areia sob a toalha. As centelhas da fogueira, irrompendo e desaparecendo a nosso redor. A música do grupo de pessoas na praia pairando em meus ouvidos e entrando em meu coração. Há violões e as pessoas estão cantando e rindo. E vejo o mar, os sons das ondas quebrando contra a praia, recuando de novo — numa corrida interminável.

Meu coração está pleno, mas estou tremendo. Abro os olhos e encaro Sam. Ele está me olhando com tanta intensidade que meu corpo todo reage como um ímã ao ferro, sem escolha, e sim, como a ordem natural das coisas, se aproximando, me surpreendendo. Tenho medo. Medo de que algo quebre este encanto. Medo de que algo não o quebre.

Frankie e Jake desapareceram na praia, a risada baixinha de Frankie os acompanhando como migalhas no ar. Eu a ouço a distância, mas não me concentro. Nada me deixa concentrada. Quero dizer alguma coisa, mas meus lábios parecem não se lembrar de como se compõem as palavras.

— Anna, você está tremendo — preocupa-se Sam, quebrando o encanto. — Aqui. — Ele se senta para tirar o moletom vermelho e o entrega a mim.

Sento-me e o visto, grata pelo tecido macio contra a pele nua de meus braços. Ao vesti-lo, sinto-me arrebatada sem controle na mesma hora. É como se Sam me envolvesse, perto, quente e seguro. É *ele*, o cheiro de sua pele é algo limpo, e a fumaça da fogueira, quente e familiar como se ele estivesse abraçado comigo.

Tudo deixa de ter importância. O frio se foi. O tempo se foi. O mar parou de sussurrar. Viro meu rosto para o dele. Seus olhos estão imóveis, e tudo ao meu redor para, em suspenso. Sam segura a parte da frente da blusa e me puxa para perto dele. Meus braços o envolvem, os braços dele me envolvem, e ele me beija, um beijo tão quente e intenso que o sinto até os dedos dos pés. Caímos na toalha, e eu estou fora de mim mesma, entrelaçando minhas pernas nas dele e me aproximando cada vez mais. Ele se deita sobre mim, o peso de seu corpo me pressionando contra a areia, beijando meus lábios, meu pescoço, suas mãos embrenhadas em meus cabelos, depois entrando sob minha camiseta, e eu estou flutuando, minha tristeza evaporando. Todo o meu coração evaporando.

— Anna Abby de Nova *Yawk* — ele sussurra. Está tremendo, ainda em cima de mim. Abro o moletom para deixá-lo entrar, envolvendo nós dois, puxando-o e passando um braço e uma perna sobre ele preguiçosamente. Minha cabeça descansa entre seu queixo e ombro. Eu respiro em sua pele e fico lá, com o ar preso em meus pulmões, onde nada pode alcançá-lo.

Minha vida pode acabar agora mesmo que nada vai importar, nem agora nem nunca.

Pouco depois, Frankie e Jake vêm da praia, e Sam e eu nos desvencilhamos. É quando eu sinto como se estivesse tentando segurar a água; uma velha sensação. O ar frio em minha pele onde ele esteve há apenas alguns instantes. O cheiro de seus cabelos desaparecendo. A gentileza de suas mãos indo embora. A tristeza me envolve como uma onda, mas Sam está a meu lado, sorrindo. Seus olhos estão contentes. Sua mão resvala na minha. Frankie e Jake vêm da água, sem fôlego e rindo. Sam tira uma mecha de cabelo de meus olhos e beija minhas pálpebras.

Não posso deixar de pensar em como é senti-lo contra meu corpo, contra meus lábios. Não consigo me lembrar de mais nada antes disso, qualquer coisa. E percebo, nesse momento, que enfim está feito. Jurei que jamais aconteceria, e é terrível.

A cobertura de bolo. O cigarro. O triângulo de vidro azul. As estrelas cadentes. O gosto de sua boca na minha no corredor.

Terminado.

Só consigo pensar em Sam. Matt está... apagado.

Meu corpo todo está quente e trêmulo.
Sam está sorrindo perto de mim, *por causa* de mim.
E eu nunca me senti tão solitária em toda a minha vida.

17

Querido Matt,

Qual é o período para se sentir culpada por trair um fantasma?

As palavras são negras e bagunçadas como formigas em meu diário e parecem ridículas como soam. Já se passaram quase 24 horas, e eu não consigo me desvencilhar da sensação quente que se acomodou em meu estômago. Não tanto por beijá-lo — noite romântica na praia, estrelas, fogueiras e cervejas. Essas coisas acontecem, segundo Frankie.

É que eu quero que aconteça *de novo.*

Não os vemos hoje. Prometemos passar a manhã com Jayne na praia, o que logo se transforma em almoço e jantar, e depois em um jogo noturno com tio Red. Depois ficou tarde demais para voltar para a praia — o sol estava baixo e de algum modo conseguimos passar o dia todo com os pais de Frankie em coisas familiares que não envolvem meninos, culpa ou coisas que fazem tremer à noite.

Parte de mim não quer ir. Matt e eu estamos caminhando pela vizinhança, sussurrando no meio da noite às duas da manhã. Eles iam viajar para a Califórnia dali a dois dias e, depois disso, teríamos um mês antes de ele se mudar para Cornell. Tentei não pensar nisso; tentei não contar os dias até ele ir embora ou os dias até visitá-lo ou os dias até ele estar em casa para as férias. Uma hora não era muito tempo, mas todos tínhamos escola e não podíamos ir até lá sempre que quiséssemos. Nada mais de mensagens de texto para se encontrar no meio da noite. Nada mais de deixar cair o açúcar apenas para ter uma desculpa para correr para a porta ao lado depois do jantar.

Você falava na faculdade desde que éramos crianças, Matt.

Eu sei, mas você não vai estar lá. Tudo vai ser diferente.

Não aqui. Seremos os mesmos.

E se eu voltar e estiver diferente, Anna? Às vezes você vai a um lugar onde tudo é diferente e tudo o que você conhece muda, e ninguém o vê do mesmo jeito.

De jeito nenhum. É tudo o que posso dizer. E depois o beijei.

Eu não sabia o que ele queria dizer naquela época. Achava que estava sendo sentimental, só preocupado por deixar sua casa pela primeira vez. Para Frankie, Red e Jayne, ele estava confiante e preparado, nascido para a faculdade, para ler e escrever e alcançar grandes desafios. Mas eu sabia que ele tinha medo. Era uma mudança tão grande — estar longe de mim e de Frankie, longe do trio inseparável, longe de sua família. Para ser sincera, eu estava tão assustada por vê-lo partir quanto ele mesmo, mas, naqueles momentos vulneráveis em que ele confessava suas inseguranças sob as estrelas, eu não concordava. Não conseguia fazer nada além de encará-lo e segurar suas mãos, esperando que ele soubesse no que eu estava pensando — que eu nunca o olharia de forma diferente ou sentiria outra coisa diferente do que senti naqueles momentos fugazes.

Agora, sob as cobertas e escrevendo para um fantasma em meu diário, sei o que ele queria dizer. Estou na Califórnia há pouco mais de uma semana e já estou diferente. Tudo em mim parece diferente. Dói lembrar de Matt, reviver seus cartões-postais, tentar ao mesmo tempo lembrar e esquecer sua voz. Estou lutando contra isso todos os dias.

Não consigo deixar de pensar em Sam.

E Frankie não tem ideia disso.

São dez e meia, Red e Jayne estão afinal dormindo. A hora da fugida se aproxima. Frankie está ansiosa para voltar aos braços de Jake, mas não estou pronta para ver Sam esta noite.

— O que houve? — Frankie pergunta, com gentileza surpreendente. — Você estava toda interessada nele na noite passada. Não quer ir?

Fecho meu diário e dou de ombros, sem saber como explicar. Ela se senta com os pés na borda de minha cama.

— Anna, aconteceu alguma coisa?

Penso na pergunta dela. *Sim, alguma coisa aconteceu. Sam me beijou e foi louco e intenso, e até melhor do que foi com Matt, e agora quero que aconteça de novo.* Pronto, é isso. Mas não digo nada.

— Não, não aconteceu nada. Só não quero assustá-los, é isso — convenientemente omito o restante. — Se continuarmos aparecendo todos os dias e noites, eles vão pensar que estamos desesperadas.

— E você não está? — ela provoca, arqueando as sobrancelhas para cima.

— Claro — sorrio. — Só não esta noite.

Frankie meneia a cabeça, brincando com o bracelete vermelho em seu pulso. Isso me rende uma noite, mas outro dia não fará mal também.

— Frankie, não passamos nenhum momento sozinhas durante esta viagem. Por que não acordamos cedo amanhã de manhã e vamos a algum lugar sem os meninos? São Francisco, talvez?

— Uau. Você não quer *mesmo* parecer desesperada.

— Só acho que seria legal sair da praia um pouco. Ainda temos duas semanas para sair com Jake e Sam. — O nome dele entala em minha garganta, e eu espero que Frankie não perceba minha pele se avermelhar.

Ela considera minha ideia e concorda.

— Há um ônibus que vai até a cidade — diz ela. — Mas meus pais nunca nos deixarão ir sozinhas, e eu não quero passar o dia inteiro com eles. Passei tempo demais com a família hoje, e valeu pelo resto da viagem.

— Então. Eles também não nos deixam sair à noite, mas fazemos isso.

— Bom argumento — Frankie admite. — Não está na hora de a Jackie nos convidar para passar o dia no barco? Com os pais dela, claro.

Talvez seja a única vez que Frankie me chama de brilhante, mas é o que ela faz. Assim, desligamos as luzes e nos cobrimos, com as rodas da Operação São Francisco em movimento.

Na manhã seguinte, acordo às sete, enquanto Red e Jayne saem para sua caminhada matinal. Pego meu diário e vou até a cozinha, esperando terminar de escrever sobre as noites anteriores e retrabalhar o restante da culpa que continua a revirar em meu estômago antes que Frankie acorde.

Preparo uma xícara de chá-verde em silêncio, procuro uma barrinha de cereais e vou para a varanda descalça, fechando a porta atrás de mim com toda a cautela.

A manhã é perfeita. Bem cedo, e só os atletas estão na rua, o que me dá uma vista até certo ponto intocada do mar. Abro minha barrinha e apoio os pés na cadeira ao lado, fazendo uma anotação mental para levantar cedo com mais frequência.

O cheiro do chá me faz lembrar de papai e da mamãe no jardim, trabalhando lado a lado, retirando as ervas daninhas sem conversar e ainda assim se comunicando — como eu estava vendo com meus olhos fechados na noite anterior com Sam. Não consigo imaginar mamãe e papai no mesmo pensamento comigo e Sam, por isso ignoro tudo, me perguntando o que eles estariam fazendo a milhares de quilômetros e três horas à frente. Enviei-lhes um cartão-postal de Alcatraz e falei com eles alguns dias atrás pelo telefone. Suas vozes estavam leves e distantes ao me falarem da última venda do papai e do jardim, negócios sendo fechados, ervas daninhas crescendo e a vida seguindo sem mim.

Fecho os olhos e tomo o chá, permitindo que Sam se insinue outra vez em meus pensamentos. O sol cai quente em minha cara, em raios alaranjados e amarelo-limão, lembrando-me das mãos dele enquanto fechava minhas pálpebras e me ensinava a ver as coisas de uma forma toda nova. É ao mesmo tempo uma lembrança dolorosa e incrível, mas me obrigo a voltar lá em pensamento, revivendo cada instante, cada toque, cada respiração. Quase posso sentir os lábios dele em minha boca de novo quando...

— *Aí* está você! — surpreende-me Frankie, interrompendo meus pensamentos como um elefante. — Por que não me acordou?

— Achei que você tinha me ouvido sair da cama — minto, esperando não parecer irritada demais.

— Anna — ela diz, tirando fios de cabelo da camiseta e os deixando cair no chão. — Você precisa me acordar, senão eu morro para o mundo e olha só o que acontece. Você tem de passar a manhã sozinha.

— Tá bom. — Fecho a história inconclusa em meu diário. — Trágica.

— O que você vai vestir hoje?

— Para quê?

— Anna! — ela suspira. — Você realmente me provouca às vezes!

— Você quer dizer "provoca".

— Hum?

— Que eu a *provoco.*

— Foi o que eu *disse*! De qualquer forma, São Francisco, lembra?

Ah, isso. Enquanto estava em minha manhã pré-Frankie, tinha meio que me esquecido disso. De minha diversão em São Francisco.

— Tenho certeza de que você vai pegar algo legal para mim — digo enquanto ela volta para a cozinha a fim de pegar algo para o café.

Eu a observo pela porta. Sob o barulho de suas mãos na gaveta dos talheres, o baque da colher no prato de cereal, o bangue da porta do armário reagindo a sua mão descuidada. Frankie cantarola uma música de nossa infância. Pega uma caixa de cereal do armário, leite e uma lata de Diet Coke da geladeira, cantando baixinho, sem se dar conta da audiência.

"If you could, would you ask
for moonbeans in a heart of glass?
For sun rays on the silver sea?
Or would you ask for me?"[3]

Eu não pensava naquela música há tempos. Quando estávamos na quarta série e Matt na sexta, fomos assisti-lo no espetáculo da escola *Music Moves Me.* Meus pais e eu nos sentamos com Frankie e Jayne, enquanto Red ficou na fila do fundo com outros pais filmando o musical para horas futuras de tortura familiar.

Agora me lembro como se tivesse acabado de sair do auditório.

[3] Se você pudesse, pediria / Luares num coração de vidro? / Raios de sol no mar prateado? / Ou pediria por mim? (N.T.)

Matt fez um solo em "Ask For Me". Ele usava smoking com uma faixa cheia de lantejoulas. As crianças menores estavam vestidas de sereias e peixes. Matt cantou o refrão e deixou que os colegas ocupassem o palco para cantar o restante. A maioria esqueceu a letra, por isso Matt continuou cantando como se fosse o papel dele.

Às vezes olhar para Frankie era como ver Matt por entre um copo com água — uma composição distorcida dele com todas as partes certas, mas misturadas e na ordem errada. Ao observá-la cantar aquela música, não consigo me livrar da sensação de que ele apareceu só para dizer olá.

Frankie apanha pratos e comida e continua a cantarolar. Quando afinal me flagra espiando, para e ri, e por um instante eu a vejo — não a composição distorcida de Matt, e sim a Frankie real, aquela que assava biscoitos para mim quando eu estava triste, aquela que pegava flores para sua mãe no caminho de volta da escola, aquela que se envergonhava ao ser surpreendida cantando.

— Não preste atenção em mim — ela diz baixinho, fingindo uma tosse.

— Não estava ouvindo — minto. — Acabei de ouvir você.

Ela coloca o básico do café da manhã na mesa e começa a refeição com um punhado de cereal. Satisfeita com a magnitude da sua fome, enche a tigela e derrama leite por cima.

Odeio o excesso de leite mais que qualquer outra idiossincrasia do café da manhã, mas Frankie é incapaz de tomar seu café de outra forma.

— Tenho quase certeza de que o ônibus para São Francisco sai a cada duas horas aos domingos. — O leite se acumula nos cantos de sua boca enquanto a colher mergulha para outro bocado de cereais, como uma garça pescando. — É tipo uma viagem de duas horas e meia. Podemos pegar o ônibus das dez e passar o dia lá.

Ao longo de nossas férias eu meio que me acostumei a mentir para Red e Jayne a fim de passar duas ou três horas a mais com Sam e Jake na praia. Não era uma grande mentira. Ainda estávamos na mesma praia, só alguns metros distantes de onde eles achavam que estávamos.

A viagem para São Francisco foi ideia minha, mas mentir para Red e Jayne por um dia inteiro parece pior do que nossas mentiras anteriores, ainda mais porque estaremos a *cem quilômetros* de onde deveríamos estar.

— Por que não voltamos antes do jantar? — pergunto. — Daí seus pais não ficarão desconfiados.

Frankie quase deixa cair a colher diante de minha sugestão.

— Deus, Anna. Você é tão *provoquial* às vezes!

— Paroquial. — E não, não sou. Só acho que não deveríamos...

— Olha, falar sobre o barco de Jackie foi ideia sua. Se voltarmos para o jantar vai parecer falso. Passear de barco é coisa para o dia todo. Além disso, tenho certeza de que os pais de Jackie nos convidarão para o jantar.

— Acho que sim.

— Vamos lá, Anna. Você está certa. Precisamos passar um tempo juntas. Agora termine aí e vamos nos preparar. Temos de ficar *ótimas* hoje.

Pego meu diário, a caneca e a embalagem da barrinha de cereais, olho para o céu e amaldiçoo o Deus das Férias de Verão por me deixar entrar nesta coisa toda de me livrar do albatroz, de Sam e da confusão para ajudar Frankie.

18

Como os Perino acreditam que provamos nossa capacidade de ser responsáveis voltando para casa antes do cair da noite, evitando álcool e meninos e sendo boas meninas, não é difícil garantir um passe livre depois que eles chegam da corrida matinal. Frankie lhes fala dos pais não existentes da não existente Jackie nos convidando para o barco não existente, insere um bem colocado “amo vocês” e nos damos bem até a noite.

Preparar-se para um dia no mar é bem diferente de se preparar para um dia na cidade, por isso tomamos um banho rápido, vestimos bermudas e camisetas e colocamos tudo o mais em nossas mochilas, de modo que possamos nos preparar de verdade no vestiário da piscina comunitária do fim da rua.

Penteadas e vestidas de qualquer jeito, sem os devidos acessórios e usando sandálias que não foram feitas para caminhar muito, trancamos nossas “roupas de barco” no vestiário e andamos até o ponto de ônibus, com a câmera rodando. Homens e mulheres usando bermudas cáqui e camisetas de golfe nos encaram quando nos aproximamos.

— Este é o ônibus para São Francisco? — Frankie pergunta a uma mulher. — Estamos fazendo um documentário.

— Sim — a mulher responde com firmeza, tentando sorrir para a câmera mas incapaz de tirar os olhos do decote de Frankie. Adoro observar como as pessoas mais velhas reagem a Frankie. Ou elas a encaram com desaprovação, como se perguntassem que tipo de mãe deixaria uma filha sair de casa daquele jeito, ou a encaram com ansiedade do alto de seus tênis brancos, percebendo que seus maridos — consumidos por pensamentos sobre seguros de carro e cuidados com a próstata — nunca mais as beijarão na boca de novo no meio do dia sem motivo aparente.

Os homens, claro, também sempre olham para ela.

Cães famintos, pedindo migalhas de comida que caem da mesa.

A viagem até a cidade dura uma eternidade, com o ônibus parando de quarteirão em quarteirão para pegar passageiros. Como Frankie e eu, os turistas ficam impassíveis durante todo o trajeto, nossos mundos compostos apenas pelo resort e pela cidade. Para nós, os bairros no meio do trajeto são invisíveis. Pessoas embarcam e desembarcam, uma troca constante de estranhos carregando mercadorias ou crianças, ou corações partidos ou algum outro peso desconhecido a cada parada.

Frankie e eu não conversamos muito durante a viagem, pois nos revezamos para observar e dirigir a câmera para fora da janela enquanto prédios, carros e pedaços de um novo mundo passam. É como se *estivéssemos* mesmo no barco de Jackie, rumando para o horizonte a uma velocidade constante enquanto os demais se sentam oscilantes e indiferentes na água.

Quando o motor a diesel enfim chega à estação central, sou surpreendida em meus sonhos pelo anúncio final do motorista.

— Última parada. São Francisco. Todos os passageiros devem descer.

Descemos do ônibus e vamos para uma lanchonete na Market Street. Os carros passam correndo, como se não estivéssemos ali, lançando calor e poluição por minhas pernas e braços nus. Estou cercada por pessoas, cores, sons e cheiros diferentes de tudo o que já vi.

Se o ônibus me fez sentir como se estivesse numa lancha, as ruas da cidade são como o oceano, cheias de detritos e cargas de todas as raças e culturas do mundo, sacudindo-se e ondulando nas calçadas, rumo a um fim desconhecido.

Até mesmo Frankie está nervosa, afinal ela não visita a cidade há dois anos, e nunca foi até lá sem Red, Jayne e seu irmão.

— Vamos almoçar — ela convida, me puxando para uma lanchonete depois de atravessarmos a rua. — Daí decidimos o que vamos fazer depois.

Na segurança dos bancos vermelhos, pedimos hambúrgueres vegetarianos, fritas, milk-shakes de morango e um forro de bandeja extra, notando que havia um mapa impresso no verso. Há típicas atrações turistas ali, mas nada soa interessante, então mudamos para o plano B, que inclui terminar o almoço e passear pelas ruas da cidade até que algo aconteça.

Encontramos várias barraquinhas de legumes e lojas hippies com joias feitas à mão e toalhas e blusas que não temos dinheiro para comprar, nem mesmo depois que Frankie se oferece para pôr os hippies em nosso filme em troca de um desconto. Filmamos Chinatown, com Frankie flertando com os homens que embrulham salmão enquanto todas as cabeças de peixe caem na sarjeta e na rua. Ao lado do mercado de peixe, uma velha vende cartões-postais, ímãs e estatuetas verdes na forma de Buda.

— Eu podia morar aqui para sempre — digo, apaixonada pelo céu azul e pelo mar dormente a distância.

— Eu não — Frankie retruca ao rumarmos para nosso próximo destino desconhecido. — Cheio demais. Caro demais. Sem falar que fede demais.

Frankie ri e de repente, bem atrás dela, está a City Lights. Vi a velha livraria tantas vezes nas fotos de Matt que a reconheceria em qualquer lugar. Ele adorava ir lá em suas viagens em família — mas Frankie não parece notar.

— Frankie, olhe: City Lights! Vamos! — Seguro a mão dela e a puxo.

— Qual é a importância, Anna? É só uma livraria antiga. Não tem nem uma cafeteria. Vamos para outro lugar.

— Frankie, nem todo mundo combina boa literatura e café com leite desnatado. Você não conhece este lugar? É onde o Matt costumava...

— Eu *sei* qual é este lugar, Anna. Vá em frente — diz ela. — Vou ali perto beber alguma coisa. Encontre-me lá depois. Ela desaparece do outro lado da rua, num lugar chamado Vesúvio. Parece um bar, mas, como ela não sai, presumo que lhe deram uma mesa.

Cinco minutos. Vai levar apenas cinco minutos.

Abro a porta de vidro e entro no meio da loja, deixando que o cheiro de livros velhos invada meus pulmões. É diferente do que eu esperava; parece mais uma biblioteca do que uma livraria, e consigo imaginar Matt se divertindo ali. Ele adorava ler. Ele adorava palavras, a forma como elas se reúnem em frases e histórias. E queria estudá-las, conhecê-las e criá-las, compartilhá-las com o mundo. Em geral, Frankie e eu nos sentávamos na cama dele enquanto ele lia passagens de seus livros preferidos, avançando com frenesi enquanto virava as páginas das melhores partes de uma história. Lia com intensidade e se apaixonava por todos os personagens, pela reviravolta na história ou pela linguagem utilizada. Fazia os personagens ganharem vida para nós, como se não estivesse lendo um livro de ficção, e sim contando histórias sobre os próprios amigos.

Frankie gostava de ouvi-las, mas ela mesma nunca foi muito de ler. Eu sempre gostei de livros, e Matt me repassava seus preferidos, como os que comprou ali — *Pé na estrada,* de Jack Kerouac, um livro que me despertava impaciência, que me deixava inquieta até nesta viagem. *O uivo,* de Allen Ginsberg. *Despertar: uma vida de Buda* — outro livro de Kerouac que me deixava com vontade de viajar, descobrir, sentir.

Depois de meu aniversário, no verão passado, em nossas curtas semanas juntos, Matt sussurrava passagens para mim enquanto me deitava de lado em sua cama com os pés para cima, esperando que Frankie se trocasse ou tomasse banho ou o que quer que nos desse um tempo sozinhos.

É minha missão na vida fazer com que se importe com estas palavras, Anna. Com estas pessoas e tudo o que elas dizem e tudo o que são. Ele traçava as linhas de meu rosto com seus dedos ao falar. *Toda história é parte de um todo, de uma vida toda, entende? Feliz, triste, trágica, seja o que for, mas uma vida toda. E os livros permitem que você as conheça.*

O sol caía em seu rosto enquanto ele lia, iluminando a sala toda. Era assim que ele amava as palavras.

Frankie colecionava em particular lembranças de Matt, mas essas eram todas minhas — uma conexão que não podíamos compartilhar, uma memória na qual ela não consegue pôr as mãos ou guardar num pote junto com as outras. O amor pela leitura era algo que eu compartilhava com ele, *por causa* dele. Ler era tudo para Matt.

Ando pelos corredores e passo as mãos pelas lombadas dos livros, velhos e novos. Uma camada de poeira numa prateleira me faz pensar que Matt pode ter tocado os mesmos livros da última vez que esteve ali. Abaixo-me e leio alguns dos títulos, lembrando-me da descrição exata da cena num dos cartões-postais que Matt me mandou.

Os livros se acumulam nas prateleiras sem uma ordem específica, esperando para serem descobertos. É como se os espíritos de Kerouac, Ginsberg e Ferlinghetti assombrassem os corredores, me chamando para escolhê-los. Para ler suas histórias. Para ouvi-los. Você adoraria isso, Anna.

Ele tinha razão. Eu adoro. E em pouco tempo não consigo dizer a diferença entre minha experiência ali na livraria preferida de Matt e as histórias de fantasmas que tinha em mente dos anos de cartões-postais.

Compro um livro de poesia sobre o mar, escrito por poetas locais dos anos 1970, agradeço à atendente e dou uma última olhada antes de cruzar a rua para encontrar Frankie.

Dentro do Vesúvio, passo pelas mesas e pelo bar, à procura dos cabelos ensolarados de Frankie, mas ela não está mais ali.

— Você viu uma menina da minha idade? — pergunto ao atendente. — Ela entrou há meia hora. Está de camiseta curta.

— Não — diz ele. — Acabei de começar meu turno. Desculpe.

Meu coração acelera. Não acredito que a perdi. Pego o celular na bolsa, na esperança de que ela não esteja com tanta raiva de mim e atenda.

— Tente no segundo andar — diz o atendente.

Lá em cima. Lá está ela. Sentada com um cara, remexendo sua bebida com um canudinho, rindo com a cabeça para trás de algo que sua recém-encontrada companhia diz.

— Frank?

— Ah, aí está você. — Ela está falando com sua voz adulta. — Gostaria que você conhecesse Jeremy.

— É Jarred — ele corrige, levantando-se para me oferecer sua cadeira. Ele parece da nossa idade, mas age como se fosse muito mais velho. — Frankie me falou muito de você, Anna.

— Jarred abandonou a escola para ser músico na cidade.

— Que tipo de música? — pergunto, imaginando se Jarred tem o necessário para quebrar o encanto de Jake.

— Toco bateria em algumas bandas. Mad Rabbit e Hex?

— Legal — Meneio a cabeça como se ouvisse essas bandas a vida toda.

— Por falar nisso — ele diz —, tenho um ensaio agora. Preciso ir.

Frankie sorri diante de seu refrigerante.

— Obrigada pela bebida.

— Que é isso? Então, vejo vocês no show mais tarde?

— Com certeza.

— Legal. — Jarred sorri e vai para seu ensaio, fingindo conquistar o coração da menina de seus sonhos no show da noite. Ao qual parece que vamos comparecer.

— Que show? — pergunto. — Ou foi só para ganhar uma bebida de graça?

Ela sorri, já não mais irritada comigo.

— Você está aprendendo rápido.

— Certo — digo. — Chegamos a seis. — Estou feliz por ela estar cuidando da lista. A última coisa de que preciso é de mais confusão com meninos.

— Comprou alguma coisa?

— Um livro de poesia. — Sento-me diante dela. — No mais, eu só queria ver mesmo.

Frankie faz que sim, bebe seu refrigerante, suspira de novo e, depois, como se possuída, pede desculpas.

— Desculpe, Anna. Não quis me livrar de você. Fui atingida pela onda Matt ou coisa do gênero.

— Não — digo. — Eu é que devo pedir desculpas. Deveria ter sido mais sensível. Só fiquei empolgada ao ver a livraria.

— Tudo bem. — Ela me dá um gole da sua bebida. — Estava só pensando em como ele costumava ler para nós. Lembra? Ele gostava mesmo, era como se estivesse numa peça ou coisa assim.

Sorrio e a observo de perto, esperando que fique com aquele olhar distante de novo. Mas ela fica comigo no segundo andar do Vesúvio, com sua saia jeans apertada e com uma fenda, bebendo Diet Coke com limão em nossa viagem secreta pela cidade.

— Peguei alguns dos livros dele. — ela diz. — Antes que a mamãe ficasse louca e não deixasse ninguém entrar no quarto. Não sei por quê. Não sou uma grande leitora.

Faço que sim, tentando me lembrar de como era o quarto dele. Não estive lá desde o dia anterior à sua morte, quando ele me mostrou a identidade falsa que conseguiu online. Jayne mantém a porta fechada agora, como o sótão de uma casa de praia, confiante de que ninguém entrará lá.

— Você deveria pegá-los — ela diz e, por um instante, esqueço-me do que ela está falando.

— Pegar o quê?

— Você sempre gostou de ler os livros dele. Se ele estivesse aqui, já os teria dado para você.

— Frankie, não posso. Quero dizer, eu...

— Ele gostaria que você ficasse com os livros.

Estendo os braços e aperto as mãos dela, e Frankie fecha os olhos contra uma única lágrima. De forma tipicamente ridícula, ainda não consigo encontrar as palavras para quebrar minha promessa e contar a Frankie tudo o que aconteceu, mas a tampa no jarro de memórias *dela* se abriu e, por um instante, me sinto grata.

Já passa das três quando deixamos o Vesúvio. Como o Museu do Cartum está fechado para reforma e não podemos fazer nada do que gostaríamos na cidade, decidimos pegar o ônibus para a ponte Golden Gate e caminhar, parando para filmar os barcos lá embaixo.

Venta na ponte. Ao cruzarmos e pegarmos o ônibus para o centro, a névoa e a chuva se abatem, recobrindo o sol e esfriando o ar a nosso redor.

Não nos sentimos lá muito aventureiras, por isso voltamos à mesma lanchonete Market Street para pedirmos uma porção de fritas antes de voltarmos para casa. Nosso garçom está usando uma camiseta Blade Surf Shop que me faz lembrar Sam, e, enquanto ele nos serve água e anota nosso pedido, percebo que não pensei em Sam o dia todo. Agora, quando permito que ele volte a meus pensamentos, a sensação incômoda que tomou posse de meu estômago nos últimos dois dias se foi, apenas umas poucas borboletas ocupam o espaço.

A chuva aumenta quando saímos da lanchonete — em jorros frios e rápidos. Nós nos encolhemos e corremos para o ponto de ônibus, tremendo, rindo e respirando fundo. Na rua, os carros passam rápido, molhando nossos pés. Ao chegarmos ao abrigo de vidro, estamos tremendo e cientes do peso de nossas roupas e mochilas enquanto o brilho eletrizante da cidade desaparece atrás de nós.

Esta manhã, Frankie disse que pegaríamos o ônibus das sete horas para chegarmos em casa antes das dez, horário perfeito para o fim de um passeio de barco e o jantar com Jackie e Samantha. Mas, ao passar os dedos pelos horários, o papel grudado no ponto de ônibus, fico preocupada.

— Não perdemos o ônibus das sete, né? — pergunto. — Ainda faltam dez minutos.

— Não, é pior.

— O quê?

— É domingo.

— Então?

— Os ônibus de volta para Zanzibar param de rodar às cinco.

19

O pânico começa nos dedos de meus pés e logo sobe pelos pés e joelhos, de modo que preciso me sentar no banco de metal no ponto de ônibus. Antes que o medo alcance meu já tumultuado estômago, respiro fundo, pego o celular e ligo para a central de informações.

— Smoothie Shack — digo. — Baía de Zanzibar.

Frankie e eu nos escondemos numa cafeteria, atrás do ponto de ônibus, e esperamos. Duas horas mais tarde, um carro para diante de nós. Sam abre a porta do passageiro e corre em nossa direção, segurando uma das mãos sobre o rosto para se proteger da chuva, que agora cai meio que de lado. Seu avental verde da Smoothie Shack se prende na parte de baixo de sua blusa vermelha e eu me arrepio quando penso em tirá-lo e me envolver nele. Seus cabelos se emaranham na chuva, como acontece quando ele está dentro do mar, e, ao me segurar num abraço molhado, não lembro por que o estava evitando.

Sam nos acompanha até o carro, deixando o banco do passageiro para Frankie e entrando comigo atrás.

— Estávamos nos perguntando sobre vocês duas — diz Jake ao sair para a rua.

Antes que Frankie diga alguma coisa para me envergonhar, falo que estávamos ocupadas demais fazendo coisas de família e queríamos vê-los esta noite, mas, como ficamos em São Francisco mais tempo do que prevíamos, não podíamos correr o risco de dar uma escapada.

Eles riem quando lhes contamos sobre nosso dia, tirando sarro da câmera de Frankie, da mudança mágica no vestiário e terminando com a falta de ônibus e o telefonema desesperado para a lanchonete Shack. Por sorte, o amigo de Sam pôde cobrir o turno dele.

— Vocês ainda deveriam vir hoje à noite — diz Jake. — Mesmo que a chuva não pare. Ficaremos na varanda da Shack. Ninguém estará por perto.

— Nós devemos ir — diz Frankie. Enquanto a perna de Sam se esfrega na minha no banco de trás, eu concordo. Ela podia prometer matar e esconder o corpo de alguém; bastaria Sam me manter aquecida para eu fazer o que fosse preciso.

Depois de quase duas horas na estrada, chegamos à placa de boas-vindas de Zanzibar. Jack para diante da piscina comunitária para que possamos nos vestir de novo com nossas roupas de passeio de barco.

Infelizmente, o universo quer nos ensinar outra Importante Lição Sobre Segredos e Mentiras, e a piscina comunitária — assim como seu vestiário — está fechada. Trancada. Luzes desligadas. Obrigada, por favor voltem amanhã.

— Vocês podem dizer que enfrentaram uma onda gigante e molharam todas as suas roupas, de modo que tiveram que usar as das amigas — diz Jake.

— Melhor ainda — diz Sam. — Digam que alguém caiu no mar e vocês tiveram de pular na água para salvá-lo.

— Ou que o barco virou e vocês tiveram de usar suas mochilas para flutuar até que a guarda costeira aparecesse.

— *Ou...*

Frankie ergue a mão para impedi-los de falar sobre bombas ou agentes antidrogas ou qualquer outra fantasia à la James Bond.

— Ou podemos dizer apenas que voltamos mais cedo por causa da chuva, trocamos de roupa na casa de Jackie e ficamos para um churrasco, deixando as roupas aqui por acidente.

Ensaiamos a história de novo antes que Jake e Sam nos deixassem a poucas casas da nossa. Senão, os pais de Frankie podiam nos ver saindo de um carro cheio de meninos estranhos e querer convidá-los para tomar chá com biscoitos. Teríamos de fingir que eles eram os irmãos supergays e responsáveis de Jackie e Samantha, meninos que não gostavam de meninas e que "por coincidência" tinham quase os mesmos nomes das irmãs. *Que pais malucos!*

Os caras estacionam e saem do carro para se despedir. Fazemos planos hesitantes de nos encontrar à meia-noite no Shack, presumindo que consigamos nos sair bem da situação. Dessa vez, depois que Sam me beija e nos separamos, o calor do corpo dele permanece no meu, bloqueando o frio como um cobertor numa manhã nevada de sábado no leste.

Vou vê-lo hoje à noite, custe o que custar.

O carro se afasta e observamos as luzes de freio se acenderem no sinal antes de virar a esquina. Frankie e eu andamos os quinze metros até a casa, ensaiando nossa história mais uma vez para que ela tenha consistência. Red e Jayne não estariam na cama — eles jamais dormiriam antes que Frankie e eu estivéssemos em casa, em segurança. Mas se hoje é uma boa noite para assistir televisão, há uma chance de conseguirmos entrar sem sermos notadas, subir as escadas, nos escondermos no banheiro para tomar banho e vestirmos o pijama, tudo sem que eles façam muitas perguntas. Faço um pedido ao Deus da Televisão e abro a porta da cozinha.

Deveria pensar melhor antes de invocar o universo quando na verdade ele está mais é disposto a nos dar lições de moral. Hoje é um péssimo dia para assistir à televisão na região da baía, e Red e Jayne estão nos esperando na cozinha, tomando chá, jogando baralho e ansiosos por ouvir sobre as aventuras das meninas piratas no mar.

— Uau, vocês caíram na água? — pergunta Red. Banhadas pela luz fluorescente da cozinha, parecemos duas criaturas do mar pegas por uma rede. Faltam apenas estrelas-do-mar, algas e cracas.

— Voltamos andando da casa da Jackie — Frankie explica. — Queríamos nos molhar na chuva.

— Vocês ficaram na água hoje? Mesmo com este tempo? — Jayne pergunta.

Frankie dá de ombros.

— Em parte. Não ficamos tanto tempo quanto queríamos. Mas o pai dela nos convidou para um churrasco na casa, e ainda assim foi divertido.

— Onde estão suas roupas desta manhã? — pergunta Jayne, olhando-nos com desconfiança.

Por que as mães sempre notam essas coisas? Tio Red está sentadinho lá com seu chá, segurando as cartas do baralho, esperando com toda a paciência até que tia Jayne volte para o jogo. Mas ela está nos avaliando. A qualquer instante vai soltar um suspiro, pegar o telefone e dizer a minha mãe como sua filha é malcriada.

Frankie se mantém tranquila sob a pressão da mãe e repete a história como a praticamos. O passeio de barco prematuramente interrompido por causa do tempo. De volta à casa para o jantar. Roupas trocadas porque se molharam na chuva. Os pais de Jackie se ofereceram para nos trazer de volta para casa (porque eram pais muitomuitomuito responsáveis e preocupados), mas nós recusamos, insistindo em andar na chuva porque estava quente. Nós nos divertimos tanto com Jackie, Samantha e suas famílias que nos esquecemos de nossas roupas — mas as pegaremos amanhã pela manhã. Por sinal, se eram mesmo biscoitos de limão no prato diante do papai, será que poderíamos pegar alguns?

Jayne pegou os biscoitos na mesa para expressar empatia por nosso passeio de barco, que acabou cedo demais por causa de uma tempestade.

— Mas parece que vocês ainda assim se divertiram.

Nós lhe garantimos que sim, pegamos mais biscoitos e corremos para o quarto, onde fechamos a porta e explodimos em risadas.

— Pais... — Frankie diz, com a boca cheia de migalhas de biscoito — Eles acreditam em *qualquer coisa.*

— Talvez os seus. — Tiro as roupas molhadas, visto uma bermuda e um moletom, afastando o frio da chuva. — Você sabe que Helen e Carl jamais nos deixariam sozinhas. E um passeio de barco com estranhos? Eles exigiriam os números de telefones para ligar antes e verificar os fatos de nossa história com um adulto responsável, iriam exigir uma contagem precisa dos salva-vidas disponíveis a bordo, depois ligariam para a guarda-costeira a fim de garantir que haveria alguém cuidando de nós.

— Nem me lembre — Frankie dá de ombros. — Então, quanto tempo até sairmos?

— Talvez duas horas — digo. — Precisamos descer e parecer cansadas até seus pais irem para a cama. Sabe, estar num barco o dia inteiro é cansativo.

— Anna, você está se transformando numa menina levada.

— Ah, não sou a Anna de sempre — eu garanto. — Sou a Louca Anna, a do espelho. Tudo culpa sua.

Frankie ri. Acho que ambas gostamos da Louca Anna um pouco mais do que da Anna normal. É como mágica — enquanto estava experimentando biquínis no mês passado ela resvalou em meu traseiro e deu origem ao Gênio do Biquíni do M.V.T.T., realizando todos os meus desejos.

— Isso me lembra... —Frankie começa, trocando de roupa. — Acho que devemos alterar as regras do concurso. Nossas férias já passaram da metade e não chegamos nem perto.

— Não planejamos Sam e Jake. — Sento-me na beirada da cama enquanto ela retoca a maquiagem para nosso encontro no sofá lá embaixo.

— Não. Quero dizer, ainda podíamos conseguir mais dez, mas não quero ficar muito à sua frente. Você gosta *mesmo* do Sam, não é? Dá para ver — ela diz enquanto passa o delineador.

— Talvez — dou de ombros. — Mas e daí? Você também gosta *de verdade* do Jake.

— Ele é legal. Acho que vamos... *você* sabe. *Hoje à noite.*— Ela joga o rímel na penteadeira e mexe a cabeça para balançar os cabelos, como se tomar essa decisão não fosse mais complicado ou importante do que escolher entre granulado ou recheio no rótulo da caixa de rosquinhas.

— Frankie, você *está falando sério?*

— Pode ser — ela meio que ri, como se o demônio estivesse sentando em seus ombros, aquele dos velhos desenhos animados. Um demônio mais bonitinho do que assustador e, portanto, que causa mais destruição e caos.

Eu a encaro com a boca aberta, mas detalhes adicionais não estão disponíveis. Em vez disso, ela revê seu rosto no espelho, limpa o excesso de batom com um lencinho e nos leva para baixo, para o Ato Dois, no qual a filha e a amiga fazem uma interpretação digna de

Oscar de duas meninas sonolentas, deixando todo o temor de comportamento ilícito para lá.

Duas horas mais tarde, ao sairmos pela varanda, com câmera, toalhas de praia e a lanterna de confiança, descobrimos o anteriormente não resolvido e potencialmente perigoso furo na trama.

— Não conseguem dormir, meninas? — tia Jayne pergunta do escuro, entre as sombras solitárias do mar, usando uma manta de crochê sobre os ombros contra a brisa.

20

Frankie bate em mim ao som da voz de sua mãe e eu solto um grito, não sei se pelo choque de Frankie pisando em mim ou pela aproximação da tia Jayne, que estava perambulando pela praia.

— Indo a algum lugar? — tia Jayne pergunta, observando nossas coisas.

Tornei-me uma adepta da mentira nestas férias, mas ainda não dominei a habilidade de fabricar uma mentira instantânea sob pressão. Essa é a especialidade de Frankie. Mas, infelizmente, a rainha dos contos de fadas está em estado de choque atrás de mim, paralisada e em silêncio.

— Estávamos apenas, hummm, íamos... queríamos... — Espero que minha gagueira faça Frankie voltar à realidade, uma vez que Jayne está perto demais de mim para que eu dê o tranco que Frankie merece.

Dá certo. Frankie deixa cair a toalha e desce as escadas para se encontrar com sua mãe.

— Anna e eu queríamos sair para a água a fim de algumas filmagens noturnas — ela arrisca. — Você sabe, para o documentário da viagem.

Tia Jayne olha para ela mais de perto.

— Toda maquiada?

— Mamãe, não queremos parecer *medonhas* na câmera.

— Achei que vocês duas estivessem exaustas.

— Estávamos — Frankie diz, remexendo no bracelete. — Mas agora estamos recuperadadas.

— Recuperadas — digo, traduzindo para Jayne.

— Certo. E vocês precisam de toalhas de praia para...

— Para o caso de querermos deitar e admirar as estrelas — Frankie tem resposta para tudo.

Tia Jayne olha para sua filha e para mim, para as toalhas a meus pés, e de volta para Frankie, antes de deixar escapar um longo suspiro e balançar a cabeça.

— Frankie, eu...

— Mamãe, o que você está fazendo aqui sozinha, por sinal?

Se você não puder contratar um advogado, Frankie "Teflon" Perino será indicada a você pela corte.

Tia Jayne abre a boca, mas Frankie contra-ataca de novo antes que ela diga qualquer coisa.

— Quer fazer parte do filme?

Jayne ri e Frankie sobe as escadas para pegar a câmera em sua mochila, dando ainda mais credibilidade a nossa colcha de retalhos de mentiras.

— Certo, certo — Tia Jayne levanta as mãos e nos acompanha pelo jardim. — Mas vamos fazer isso na varanda. Está frio aqui hoje.

Hoje? Ao contrário das demais noites em que você se escondeu nas sombras enquanto sua filha e eu fugíamos no escuro? Meu coração bate forte na garganta. Engulo em seco e lanço um olhar de soslaio para Frankie, que significa "Sua mãe nos viu fugindo na outra noite? Se viu, por que não disse nada?".

Frankie reage arqueando a sobrancelha. "Duvido", é o que a sobrancelha dela me diz.

Na varanda, entrevistamos Jayne, perguntando como ela redecoraria a casa de veraneio, o jardim e toda a orla, se tivesse oportunidade. Isso a diverte, e, à medida que ela se junta a nossas tolas questões, eu relaxo, me convencendo de que ela não sabe de nossas escapadas anteriores e que, por algum inexplicável rompimento na cadeia de eventos desta noite, ela aceita nossa história do documentário.

— Isto é o material bruto — diz Frankie. — Precisamos editar antes para lhe mostrar. Queremos que seja uma surpresa quando voltarmos da viagem.

Com editar, ela quer dizer transferir todas as partes com Sam, Jake e nossa vida secreta no reino das sombras para um DVD separado e reunir as filmagens aleatórias que ela e eu fizemos nadando, lendo e nos comportando como nós mesmas na praia, sem meninos por perto. Filmamos tudo em vinte minutos no primeiro dia, mas essa é a beleza dos trajes de banho. Ninguém espera que uma mudança de roupa indique a passagem do tempo.

Depois que tia Jayne vai para a cama (pelo menos depois que ela nos *diz* que vai para a cama), viro-me para Frankie.

— Certo, sei que você é boa nisso. Já a vi enganar professores, seguranças, meus pais e todo tipo de adulto responsável, mas sua mãe não é *tão* estúpida. Não há como ela ter acreditado na gente.

Frankie dá de ombros.

— Que seja.

— Perdoe-me, grandiosa. Eu não deveria duvidar de você. — Recurvo-me em admiração.

Frankie fica indiferente. Seus olhos estão afastados e vítreos.

— Frank, o que há de errado? — pergunto. — Você acha que fomos pegas e que ela só está esperando para contar ao seu pai?

Nada.

— Frankie? — Estou ficando preocupada. A última coisa que quero é que esta viagem seja interrompida por causa da nossa estupidez.

— Não importa, Anna — ela diz, por fim. — Ela vê o que quer ver.

— Do que é que você está falando?

— Sei que você acha que ela é legal e tudo, mas às vezes eu só queria que ela... não sei, ficasse *furiosa*. Gritasse. Brigasse comigo por causa das mentiras. Ficasse desapontada. Mas ela nem se importa.

Imagino tia Jayne na varanda na primeira noite, com os olhos avermelhados e intensos, perguntando-me a verdade sobre a própria filha. Sua única filha viva.

— Ela se importa, Frank. Você não pode dizer isso.

— Que seja. Não sou o precioso filho morto dela. Sempre estarei em segundo lugar.

— Não acho que seja assim, Frank.

— Você não tem ideia de como é.

Olho para meus pés e não falo o que parece por muito tempo. Frankie suspira, quebrando o silêncio.

— Desculpe... Não é você. Não sei o que há comigo hoje à noite. Não fomos pegas. Isso é o principal. Vamos.

Alguma força invisível — a Força de Sam — quer me levar para a Smoothie Shack, mas resisto. Não podemos arriscar sermos pegas outra vez, e é tarde demais para isso.

— Não, Frank. Estamos, tipo, duas horas atrasadas. Eles não estão mais lá.

— Certo. Amanhã, então.

— Amanhã.

Observo a expressão dela para tentar outra abertura, outra chance de convencê-la de que sua mãe se importa de verdade, mas seus olhos estão vidrados contra o frio que sopra do mar.

Fim da discussão.

O amanhã vem rápido, o sol está entrando pela janela e aquecendo meus pés como um banho quente. Frankie está acordada e sorrindo para mim de sua cama, o amargor da noite passada evaporado na nova luz. Tomamos banho e nos trocamos o mais rápido que a rotina de glamour de Frankie permite, comemos cereais, tomamos suco e corremos para fora antes que Red e Jayne nos convidem para outra viagem familiar. Depois de uma parada rápida na piscina comunitária para pegar nossas roupas do passeio falso de barco, vamos para a praia.

Nem precisamos ir até a Shack. Encontramos Sam e Jake no canto da praia, rindo na companhia de uma menina superlinda, má, assustadora. Meu coração se afunda e num instante me transformo numa má amiga, esperando em segredo que a menina linda pertença a Jake, não a Sam. É tudo o que podemos fazer sem nos virarmos antes que eles nos notem.

— Ei! Aqui! — Jake nos vê e acena para fora da água. *Ela deve estar com Sam.* Por um instante acho que minhas pernas não vão funcionar, mas Frankie me cutuca para deixarmos nossas coisas ali. Sigo-a por obrigação, com raiva por ele estar já com alguém e com raiva de mim mesma por me importar.

Entramos na água, e Sam corre para me abraçar. Minha primeira reação é toda física, agindo antes que minha mente possa processar a situação e me preparar para uma reação mais adequada — isto é, mais ríspida. Suas pernas e peitos nus me tocam na água, e sei que, se ele ficar assim, não me importarei com quantas meninas mais ele fica.

Afasto-me enquanto Jake nos apresenta a menina. Agora que vejo o corpo dela — ou melhor, a falta de corpo —, acho que tenho idade suficiente para ser sua mãe. Pelo menos sua irmã mais velha.

— Esta é Katie — diz Jake. — Minha irmãzinha. Aquela sobre a qual lhe falei.

— Que seja — diz ela. — Não sou uma menininha.

Katie. Esqueci-me totalmente da irmã dele. Estou tão aliviada e envergonhada que quase rio alto. Ela é apenas três anos mais nova do que eu, mas parece que há toda uma vida entre nós. Quando olho seu sorriso fácil e seus olhos felizes, não me lembro da última vez que me senti assim — talvez quando Frankie ainda tinha as duas sobrancelhas inteiras.

Passamos a manhã com o trio de surfistas até pouco antes do almoço, quando um grupo de meninas em roupas cor-de-rosa chama Katie para tomar sorvete. Antes de nos dispensar, ela me abraça e dá adeus a Frankie, como se fôssemos melhores amigas. Ela é um doce, e me sinto mal por ter desejado coisas terríveis quando nos conhecemos.

Se eu gosto de Sam já não é uma dúvida — pelo menos não é algo sobre o que posso mentir. Isso é tudo o que posso fazer para não contar os doze dias restantes de férias, depois dos quais não o verei de novo.

Mas não posso pensar nisso agora.

Depois que Katie se foi, Frankie e Jake se tornam uma massa ondulante, beijante e indistinguível de carne e destaques saindo da água. Se as coisas continuarem assim, vou ter de atualizar a classificação indicativa deste espetáculo público de treze anos para um público restrito.

Por sorte, Sam não é como Jake. Seu pé resvalando contra o meu em nossa porção secreta do mar é o bastante para me deixar louca, e em cinco minutos sei que o encontrarei hoje à noite, nem que eu tenha de deixar um bilhete fingindo meu próprio sequestro.

Horas mais tarde, Frankie e eu testamos com cautela nossa nova rota de fuga, esperando evitar o plano do bilhete de sequestro. Dessa vez esperamos até que tia Jayne esteja mesmo no quarto e não fazemos nenhum barulho. Depois, recheamos nossas camas com travesseiros, descemos as escadas na ponta dos pés, saímos pela porta da frente e voltamos para a praia, passando pelo jardim de um vizinho a várias casas de distância. Isso acrescenta cinco minutos a nossa árdua viagem, mas é melhor do que deparar com um pai ou mãe num inesperado passeio à meia-noite pela areia.

A semana seguinte se passa logo, com nossos dias cheios de natação, sol e soneca na areia, as noites gastas em passeios pela praia até a lanchonete Shack. A cada noite que estou com Sam as coisas ficam mais intensas, mais e mais próximas do final desejado.

Às vezes, quando estou com ele, alguma coisa lembra Matt. Uma estrela cadente, o cheiro do xampu, uma risada, a frase de alguém passeando pela praia. Quando isso acontece, fecho os olhos, conto até dez e deixo passar. Que Matt me deixe sozinha. Que devolva minhas memórias para que algo simples como uma canção soando perto de uma fogueira não o traga para perto de mim todas as vezes.

Nunca funciona.

21

— E então, sim ou não?

Na volta de nossa nona bem-sucedida missão noturna, rio e seguro Frankie pelos ombros. Ela começou a contar a história há dez minutos, e só está na parte em que foram mergulhar. Está de olhos arregalados, e, com franqueza, essa versão curiosamente romântica de minha melhor amiga está me assustando.

— Frankie, sim ou não? Você está falando nisso a semana toda. Vamos lá! — Ela me olha de lado, deixando que suas sobrancelhas se manifestem.

— Sua safadinha! — provoco. — E daí?

— Estava tentando lhe dizer antes, mas você só queria saber o final.

— Diga!

— Desculpe, acho que você precisa descobrir como é por si mesma.

Olho para ela, escondendo meu sorriso.

— Como você sabe que já não descobri?

O peso da notícia potencialmente devastadora de que posso ter feito sexo sem lhe contar é como um golpe. Ela deixa cair a sacola e ao mesmo tempo fica boquiaberta, virando a cabeça para começar a repreensão. Ela sabe mesmo como tornar a tortura uma diversão.

Uso meu sorriso mais diabólico e passo por ela na praia.

— Vamos, Rodada — digo.

— Aaaa-nnaaaa! — ela choraminga atrás de mim, chutando a areia e se recusando a dar um passo até que eu reconheça seu desconforto, me solidarize por um tempo (varia de acordo com a ofensa), peça desculpas pela ofensa (mesmo que a culpa não seja minha) e conte todos os detalhes.

— Certo! — criei um até certo ponto destacado B.T.F. (Biquinho de Tolerância da Frankie), mas isso está saindo do controle. — Não fizemos nada até agora. Nada *assim*. Eu teria contado.

— Acho que teria. — Ela pega sua mochila, em parte convencida.

— Vamos lá, Frankie. Você sabe que eu conto tudo para você.

Ela sorri e eu me pergunto se haverá um dia em que essas palavras deixarão de fazer sentido.

— Que pena — diz ela, a Rainha de Tudo, acompanhada de sua pequena Anna ainda andando pela praia com seu gordo albatroz. — Acho que você vai ter de esperar até a festa de amanhã à noite para se juntar ao clube das grandes meninas. Ele lhe contou?

Um dos alunos de surfe de Jake tem uma casa enorme perto da baía Moonlight. Seus pais ricos vão estar no norte durante o fim de semana com amigos ricos fazendo coisas de gente rica, como polo ou algo assim, e é provável que ele não tivesse cara para seus amigos de novo (que jovem respeitável, *não?*) se não aproveitasse para dar uma enorme festa na praia, com meninas seminuas numa banheira de água quente e muita bebida. Posso imaginar já — como as festas na TV com várias pessoas, algo caro que se quebra e as menininhas gostosas reclamando da vida, bebendo e vomitando.

Frankie e eu nunca estivemos numa festa *dessas*. Em termos históricos, nossas festas eram mais como reuniõezinhas — Frankie, eu e uma ou outra menina tramando algo além de xerez e suco de laranja. Desde a morte de Matt, nossas festas ficaram até menores — Frankie e eu derramando rum em nossas Diet Cokes das garrafinhas de amostra grátis em sua gaveta de meias.

— É — digo —, não seremos capazes de ficar por muito tempo ou de bebermos demais.

Desde nosso encontro com tia Jayne, a Dama da Noite, estamos mais cuidadosas. Mais quietas. Nunca chegamos tarde demais, para o caso de ela sair ao redor da casa de novo. Inventar uma história sobre a filmagem de um documentário ao luar é uma coisa. Chegar bêbada e deflorada pela porta da frente é outra bem diferente.

— Certo — Frankie suspira. — Queria que houvesse uma maneira de podermos voltar só pela manhã. Estou cansada de fugir no escuro.

— Nem brinca. E, o mais importante: acredito que você estava prestes a me contar o restante da história sobre o Jake.

Frankie ri mais alto do que as ondas do mar.

— Certo, certo. Ouça e aprenda, minha amiga. Ouça e aprenda.

Quando ela termina sua história, incompleta e romantizada em partes, mas que parece cinquenta por cento verdade, estamos na porta da frente, espiando as janelas em busca de algum sinal de vida. Sem ver ninguém, aos poucos abrimos a porta e voltamos para o nosso quarto; missão cumprida.

Deitada na cama observando a lua, ouço Frankie respirar, a fundo e feliz. O ar ao redor dela está carregado e esperançoso e me lembra de verões passados, quando ela e Matt voltavam para casa livres, exaustos e felizes pela viagem anual à baía de Zanzibar.

A Califórnia faz bem para ela. Até mesmo tio Red e tia Jayne parecem felizes, apesar dos passeios noturnos de Jayne. Eles passam a maior parte da viagem juntos, rindo conosco no jantar em sua forma antiga e descomplicada. Talvez tenhamos regredido no tempo. Frankie e eu temos quatorze anos de novo. Matt está dormindo em seu quarto azul-acinzentado. E Frankie ainda não ficou com dois caras diferentes — *ficar* de verdade...

Mas não. Temos dezesseis anos.

Matt não está em seu quarto. Frankie cruzou o reino da "experimentação" há vários meses, e continuo um pouco assustada com as mãos de Sam sobre mim, a letra V em vermelho para sempre gravada em minha testa. Quando estou com ele, imagino-a piscando como um anúncio de néon, pouco antes de brilhar pela última vez e — acabou. Tudo o que tenho a fazer é dormir com ele e o brilho vergonhoso do grande V será extinto.

A ideia de perder a virgindade é tipo ridícula. Perder alguma coisa implica descuido. Um erro que se pode consertar recuperando o objeto perdido, como seu celular ou os óculos. A virgindade é mais como *tirar* algo do que perder. Como em: "Não se preocupe, mamãe. Você pode ignorar os helicópteros e os cães farejadores. O fato é que não *perdi* de fato minha virgindade. Apenas a deixei em algum lugar entre aqui e Monterey. Acredita? Pode estar em qualquer lugar agora, com todo este vento."

Imagino algumas crianças deparando com virgindades perdidas na praia. Elas teriam de fechá-las e colocar um cartaz. *Perigo! Virgindade encontrada aqui! Nade por sua conta e risco!*

Por que precisa ser tão especial? Frankie diz que a primeira vez não é especial. É uma inconveniência, um ato não mais importante do que uma ida ao dentista. Marca-se a consulta num horário conveniente para os dois e você se deita sem se mover para o processo todo. A próxima vez — e todas as vezes subsequentes — pode ser especial, mas não a primeira.

O único problema é que, com Sam, eu *quero* que seja especial. Na verdade, se acontecer com Sam. Não que eu esteja planejando isso ou coisa assim. Além de depilar as pernas. Por garantia.

São quase cinco da manhã, de acordo com meu relógio de cabeceira. Reviro-me e enfio as mãos sob o travesseiro, aproveitando o frescor do lençol.

É ótimo que possamos votar, ir para a faculdade, usar calça comprida e tudo *isso*, mas, se alguém quer *mesmo* fazer a diferença na vida das mulheres, deveriam inventar uma pílula mágica, do tipo que se engole com um copo de água antes de ir para a cama e, quando a pessoa acorda, pronto! Não seria mais virgem! Nenhuma agonia quanto a calcinhas caras mas desconfortáveis! Sem preocupações quanto aos seios desaparecerem quando você se deita de costas e enxuga a barriga! E com certeza nada de ficar acordada a noite toda tentando descobrir como dormir, pensando na festa do dia seguinte, para poder enfim fazer sexo com um cara que conhece há poucas semanas — um cara que talvez nunca mais veja.

Mas, quando penso nele me tocando, meu corpo todo fica elétrico e eu sei que há apenas uma coisa a fazer. Ir à festa e dormir com... *Espere! Dormir! Passar a noite! É isso!*

Dizem que a genialidade costuma acontecer entre o despertar e o dormir. *Este* é um desses momentos. Seja o V em néon ou os pensamentos das mãos de Sam em meu corpo, a combinação certa de carbono e oxigênio gera uma única centelha brilhante, fogos de artifício no horizonte da desesperança.

É minha melhor ideia nestas férias — talvez a melhor ideia de todas.

— Frankie? Frank? — Eu a chamo até que ela se revire. Ela boceja e se senta na cama, perplexa e confusa ao lado da luz de uma verdadeira mestra.

— Jackie e Samantha ligaram — digo. — A mãe de Jackie disse que ela pode fazer uma festa amanhã à noite.

O ambiente de repente se enche de luz, mas nunca saberemos se do V em néon, de minha genialidade criativa, do luar pela claraboia ou do sorriso de Frankie.

22

Passamos o dia seguinte com Red e Jayne, passeando pela Moonlight Boulevard, fingindo-nos fascinadas pelas pinturas com temas marinhos, cachimbos feitos à mão e todo tipo de artesanato sem o qual as férias de família nunca estariam completas.

Em algum momento da torta de limão pós-almoço no Breeze, Frankie menciona todas as garotas amigas de Jackie, supervisionada pelos pais, a noite de diversão feminina ultracasta, que começa depois do jantar (claro que queremos jantar com você, mamãe! A festa é só mais tarde!). Ela não tem dificuldade para conseguir permissão dos pais, que nem mesmo pedem para conhecer a tal Jackie fictícia e a Samantha de mentira. Eles apenas concordam e sorriem, felizes por Frankie ser tão normal e ajustada.

Com o píer cheio e a cota de artesanato de Jayne satisfeita, voltamos para um jogo de frisbee na praia com Red. A diversão familiar continua até o jantar e, em pouco tempo é hora de se preparar para a festa.

Frankie e eu passamos uma hora experimentando roupas que ficarão bem sobre nossos biquínis e expressam mensagens mistas: causais, mas não desleixadas. Gostosas, mas não vulgares. Divertidas, mas não fáceis (bem, não tão fáceis *assim*, de qualquer forma). O cabelo e a maquiagem ocupam mais outra hora — uma dança delicada de vários produtos químicos aplicados em quantidades certas para fazer sombra, enfatizar e contornar sem exagero. Sam prefere uma aparência natural, mas Frankie tem razão — para parecer natural é preciso muita ciência.

Enchemos nossas mochilas com coisas de meninas (bermudas curtas, camisetas cor-de-rosa, moletons, câmera, maquiagem, esmalte, meias, uma cópia da *Celeb Style* com um pôster de duas páginas do cantor gostoso da Helicopter Pilot, Joe Donohue e Apollo, seu fiel cão, e meu diário, sem o qual não saio de casa), damos beijos de tchau em Red e Jayne e passamos pela praia, chegando à Shack dez minutos depois do prometido, para não parecermos ansiosas demais.

Sam e Jake estão esperando na varanda, com bermudas cargo e camisetas sem dúvida tiradas de pilhas de roupa suja de seus quartos. Os cabelos de Sam estão desalinhados. Seu rosto, esbranquiçado. Suas sobrancelhas não estão arqueadas, e duvido que ele tenha ao menos as penteado.

Mesmo com toda sua ignorância sobre alta-costura, ele faz meu corpo todo tremer.

— Uau, você... *uau* — ele me puxa para perto e cheira meu pescoço, as mãos se embrenhando em meus cabelos. — Talvez não devêssemos ir à festa. Quero dizer, vai ter outras pessoas lá. Outros caras. *Olhando* para você.

Espero por um comentário inteligente de Frankie ou Jake, mas eles parecem grudados pela boca, incapazes de se comunicar.

— Certo, então — diz Sam, bem alto. — Vamos indo para a festa. Vocês nos acompanham mais tarde.

Eu o sigo pela praia. O céu está escuro, mas há trechos de alaranjado e rosa, resquícios do pôr do sol.

— O segredo de uma ótima festa é a música — Sam explica, remexendo em seu iPod ao caminharmos pela areia. Eddie, o cara que estava dando a festa, deixou a música a cargo de Sam. — Se ela estiver muito alta, ninguém consegue conversar. Mas, se for bem melosa, a festa vai dar sono. Você também tem de considerar o tempo ideal. Há um tipo de música específico para cada etapa da festa: introdução, aquecimento, agitação total, desaceleração e outras.

Não sabia que existia toda uma ciência por trás das músicas de uma festa, mas, quando Sam fala, *quero* saber de tudo. Nesses momentos na praia, não me importo com nada, a não ser com a melodia de suas palavras e com a respiração de seus lábios em meus ouvidos, e, quando faço que sim com a cabeça, pergunto e rio, seus olhos se iluminam e eu até penso que posso amá-lo para sempre.

Quero dizer, não que eu o ame *de verdade*.

Só que *posso* vir a.

Amá-lo.

Para sempre.

— Outras etapas? — pergunto.

Ele sorri.

— O oposto de uma introdução.

— Certo. E como você sabe quando alternar?

— Basta você sentir. Vou lhe mostrar mais tarde. Começarei com um techno ambiente e avaliarei quando a energia das pessoas pede algo mais. Aqui. Veja só.

Quando pego seu iPod para ver as músicas, ele me abraça firme, forte, protetor, bronzeado e um pouco arrojado demais. O calor de sua pele se insinua em meus ombros, e me sinto tão viva de repente que, se não o beijar agora mesmo, vamos nós dois explodir e morrer. Viro-me para ele e o puxo para um beijo desesperado, aproximando--me dele o máximo possível.

Chegamos à casa de Eddie por volta das nove e meia; Jake e Frankie chegam um pouco depois de nós. O céu está azul-escuro e a lua ilumina o jardim como um holofote, acabando com os resquícios do pôr do sol. Multidões chegam atrás de nós, conversando, gritando e trazendo bebidas a reboque. Com base na quantidade de vezes que Eddie diz "Legal, muito prazer", suponho que cada convidado tenha trazido mais três ou quatro, com coolers e pizza. A casa se enche rápido de barulho, de corpos e do bater de garrafas. Às vezes me sinto intimidada, com medo de que as coisas fujam ao controle, mas procuro ficar perto de Sam e Frankie. Mas logo Frankie me entrega uma bebida frutada com um guarda-chuva de papel e tudo parece mais tranquilo.

Sam tem razão quanto à música. Às onze, a vibe do techno ambiente se transforma com graça e perfeição num clube de dança reggae, com mais pessoas do que toda a população de veranistas da baía de Zanzibar, girando e tocando tambores jamaicanos.

A casa suporta. É como uma pista de dança dentro e fora. Janelões enormes dão para o mar. Há uma gigantesca piscina. Mesas de sinuca em mais de um ambiente. A cozinha toda em aço inoxidável. O lugar deve ter uns dez quartos. É como se tivesse sido construída para a diversão — como uma daquelas casas de celebridade, nas quais pessoas famosas se sentam e cheiram cocaína o dia todo, reclamando da vida. Eu meio que espero que elas entrem a qualquer minuto com suas drogas e seus problemas, e Eddie vai apenas dar de ombros, sorrir e dizer "legal, prazer em conhecê-los".

Sam sai para verificar a música e, no meio da bagunça e do espaço todo, me perco de Frankie. Ando pela multidão, fico perdida em vários corredores e afinal a encontro na cozinha, com a câmera numa das mãos, filmando Jake, que tira a porta de entrada dos trilhos.

— Frankie, o que vocês estão fazendo?

— Precisamos de uma mesa para a cerveja-pongue — ela diz, sem se explicar mais, aproximando a câmera de meu rosto como se fosse perfeitamente normal desconstruir uma casa para um propósito tão nobre.

— Lembre-me de novo de como se joga cerveja-pongue.

— Ah, você lembra — ela diz, como se fôssemos campeãs do esporte. Ela pendura a câmera no ombro, ainda filmando, e passa por pilhas de coolers abertos no canto para pegar um pacote de copos de plástico vermelho. — Você coloca seis copos de cada lado, como pinos de boliche, e os enche de cerveja. Depois, tenta colocar bolas de pingue-pongue nos copos do outro time para que eles bebam. Se você errar, quem bebe é você.

— Está vendo, Anna? — Jake diz por sobre uma reunião de fãs dispostos do lado da sala. — A questão sobre a cerveja-pongue é que, mesmo quando perde, você ganha! — Ele tira um par de bolas de pingue-pongue do bolso que parece carregar para essas ocasiões. — Você está dentro?

Faço que sim.

— Só se jogarmos em equipe.

Frankie me segura.

— Ela é minha. Meninas contra meninos.

Jake pede que Eddie se junte a ele ao lado da porta, que agora está virada sobre dois banquinhos, com seis copos vermelhos dispostos em triângulos em cada extremidade.

— As meninas é que mandam! — Ela ergue a mão para um cumprimento.

Bato na palma da mão dela e bebo um gole de cerveja.

— Vocês duas estão prestes a ser derrotadas! — diz Jake, mas não antes de passar pela porta para beijar Frankie uma última vez antes do grande jogo, dando origem a uma cacofonia de gritinhos dos fãs de cada lado da mesa.

Jake volta para seu campo e joga a bola na direção de Frankie, errando por completo e concluindo sua vez com um copo de cerveja.

Frankie volta, surpreendendo-me ao acertar o primeiro lance no copo diante de Eddie. Ela mergulha os dedos para tirar a bola e toma a cerveja.

Viro-me para ela e a encaro, incapaz de esconder minha surpresa.

— Prática ou mágica? — pergunto.

— Já joguei algumas vezes, Anna. Lembra as festas?

— Não muito bem. — Eu devia estar no banheiro durante a parte das festas não existentes, escondendo-me da menina gostosa que vomita enquanto Frankie completava seu aprendizado no cerveja-pongue.

O jogo dura uns dez minutos. Graças à estranha combinação da habilidade de Frankie com a distração de Jake diante dos seios dela quase saindo da camiseta, ganhamos.

Infelizmente, a celebração dura pouco. Nosso título é tirado de nossos pés superconfiantes na segunda rodada. Jake e Eddie acertam todas as bolas, obrigando-nos a beber em tempo recorde.

— A menina do Sam bebe! — grita Eddie enquanto coloca a bola dentro do copo bem na minha frente, molhando minha camiseta.

A menina do Sam. Aquela frase me atinge em cheio, fazendo minha cabeça girar. De repente, não me sinto de pé. Estou flutuando. Estou feliz.

— A menina do Sam! A menina do Sam! A menina do Sam! — grita a cozinha toda, e percebo naquele momento quantas pessoas o jogo de cerveja-pongue pode atrair. Tiro a bola do copo e bebo, soltando um soluço do qual eu me arrependeria se estivesse sóbria, mas não estou.

— Não se preocupem, meninas — Eddie diz, me abraçando. — A coisa boa do cerveja-pongue é que, mesmo quando perde, você vence.

Jake tira os braços de Eddie de meus ombros.

— Anna — diz ele —, onde está o seu namorado?

— Ele não é meu...

— Aqui — Sam surge, sorrateiro, e me abraça por trás. Meus cabelos estão presos no alto, e ele respira em minha nuca, murmurando baixinho para que ninguém possa ouvir. Se estava feliz antes, agora estou fervendo. Sou uma pena flutuando de novo, uma pena também efervescente. *Soluço.* Alguém podia me empapar de cerveja que eu nem sequer perceberia.

Viro-me e o beijo, gerando uma rodada de vaias.

— Vi que você perdeu no cerveja-pongue — ele comenta, sorrindo diante dos copos espalhados pela mesa grudenta.

— É — digo. — Mas o legal do cerveja-pongue é que, quando vence, você vence. Quero dizer, quando você vence, você... ah, deixa para lá. Perdemos. — Eu me separo dele para pegar outra cerveja, que de algum modo não parece mais tão nojenta.

Frankie e Jake pegam os copos da mesa e os reempilham para a próxima partida.

— Anna, você está dentro? — pergunta Frankie.

— Desculpe, pessoal — Sam tira a cerveja de minha mão e a coloca sobre a mesa. — Estou sequestrando sua superjogadora. Ela precisa de um tempo.

Sorrio e aceno para Frankie enquanto ela desaparece em outra partida. Sam nos faz passar pela multidão da casa, que aumentou na última hora. Muitas pessoas estão dançando, enquanto outras estão esparramadas nos sofás e no chão, rindo, se amassando, uma teia de braços e pernas e dedinhos bem cuidados, com pequenos anéis de prata.

Chegamos lá fora, passando pela piscina e pelo jardim. O jardim está cheio, mas não barulhento. Surpreendentemente, ninguém está nos degraus que levam à praia e, também, ninguém parece estar *na* praia.

Sentamos nos degraus mais baixos e ficamos ouvindo o mar, minhas pernas esticadas e amontoadas sobre as de Sam. No escuro, refletida apenas pela lua quase cheia no alto, a água está escura e parece uma sopa de alcaçuz. À medida que ficamos ali em silêncio, o barulho da festa desaparece atrás de nós e começo a recuperar alguns dos neurônios que sacrifiquei durante o cerveja-pongue.

— É estranho — Sam começa, acariciando minha perna nua (e, ainda bem, depilada) com uma das mãos. — Vivi aqui minha vida toda, mas nunca deixei de me maravilhar diante da beleza do mar à noite.

Encolho-me e tento enxergar além da praia, além de onde as ondas se elevam e quebram contra a areia. Tudo está escuro. Se eu tentasse caminhar na água além do luar na superfície, cairia no chão.

— Sei o que você quer dizer. Estou aqui há duas semanas e já não me imagino longe disso.

É a primeira vez que me permito sair da bolha de felicidade das nossas férias, fora dos dias preguiçosos na praia e das noites secretas na Shack. Além do mar e da areia, da felicidade dos Perino e, o mais importante, de Sam. Penso logo em minha vida de volta a minha casa. Anna, filha de um corretor imobiliário. Anna, a vizinha triste, mas apoiadora. Anna, assombrada por segredos.

Encosto a cabeça no peito de Sam e sei, enquanto seu coração bate devagar no meu ouvido, que Zanzibar é minha cápsula do tempo. Quero me trancar neste lugar, me prender neste momento com Sam nos degraus diante do mar, sem ser aberta, examinada ou incomodada por cem milhões de anos.

— Podemos ir a algum outro lugar? — pergunto. Não quero pensar nesta noite e de repente sinto uma vontade enorme de me satisfazer.

— Claro — ele concorda, tirando minhas pernas de cima das dele para que possamos nos levantar. — Quer caminhar pela Vista?

A Artists' Vista é uma curva na praia que fica do outro lado do píer, depois da Moonlight Boulevard. Frankie me mostrou em nosso primeiro dia aqui, quando esperávamos que Red e Jayne comprassem sorvete, mas nunca fomos lá em nossas missões noturnas. Eu a imagino a esta hora da noite, e há apenas um motivo *para* ir lá.

— Sim — respondo de imediato, levantando para me livrar da areia em minha bermuda. — Deixe-me avisar Frankie para que não se aflija depois.

— Boa ideia — ele concorda. — E vista o moletom. Vou pegar uma toalha de praia.

Perdi a noção do tempo, mas devem ser duas da manhã. Não estou cansada e, a julgar pelo barulho da casa conforme me aproximo, os convidados da festa também não.

Frankie está onde a deixei, na cozinha, mas agora sentada num banquinho, diante da mesa de cerveja-pongue, com o braço em torno de outra menina, ambas de biquíni e bermuda; Frankie está usando a câmera para entrevistar sua companheira sobre a perda das roupas.

— Eiiiiiii — ela diz ao me ver, quase caindo de sua porta/mesa. — Olhe só quem está de volta!

— Frankie, onde está sua camiseta? — pergunto.

— Eu perdi numa rodada de cerveja-pongue — ela fala devagar, fazendo uma careta exagerada.

— Parece que o jogo desandou — Sam comenta, chegando por trás de mim.

— Ei, olhe só quem apareceu! — Jake surge de um dos corredores da casa com uma garrafa de Jägermeister. — Quem quer fazer *belly shot*?

— Na sua barriga peluda? — pergunta Sam. — Não, obrigado.

— Não, seu tolo! — Frankie diz, descendo do banquinho e quase derrubando a outra perdedora do cerveja-pongue. — Eu e a Lisa, quero dizer, a Leah, somos os copinhos.

— Entendi — diz Sam. — De qualquer modo, não, obrigado.

— Sobra mais para nós! — Jake coloca Frankie de volta a seu lugar na mesa, perto de Lisa/Leah, que ainda não disse mais do que duas palavras, mas ri sempre que Frankie fala ou se move e, para ficar registrado, parece ter a idade da irmã de Jake, Katie — não que isso importe para Jake.

Não sei quanto tempo demorará para chegarmos à Vista ou quanto tempo ficaremos por lá, por isso digo a Frankie que não me espere. Depois de confirmar que Jake está planejando passar a noite com ela, dou-lhe um abraço de adeus e peço que não beba mais, a não ser que queira passar o tempo todo vomitando.

— Não se preocupe, *mamãe* — ela responde, apoiando o corpo contra o meu, caindo de sua posição diante da porta-mesa. — Não vou mais beber. E também te amo, Anna. Você é minha melhor amiga do mundo. Não estou dizendo isso só porque estou bêbada. Quero dizer, estou bêbada, mas a amaria mesmo que não estivesse.

— Amo você também, Frankie. Agora, por favor, saia de cima de mim.

Ela ri e se recosta no banquinho, suas pernas longas e bronzeadas pendendo ao lado da risonha Leah, a fã de Frankie, que espera pelo próximo movimento dela.

Pego minha mochila do armário onde Eddie a enfiou antes, e retiro meu moletom, deixando meus apetrechos falsos de festa do pijama, diário e escova de dentes. Coloco a mochila de volta no armário, ao lado da de Frankie.

Localizo um banheiro no corredor perto da cozinha e entro para vestir meu moletom e dar uma retocada rápida no cabelo e na maquiagem. Como mágica, encontro um hidratante de pernas e uma tigela de balinhas perto da pia.

Sinto como se borboletas estivessem batendo as asas contra minhas costelas enquanto dou uma olhada final no espelho.

Da próxima vez que a vir, Anna Louca, você não vai me reconhecer.

23

Não demora muito para chegarmos à Vista, e lá reconheço a paisagem assim que chegamos. As luzes de todas as cidadezinhas da Califórnia iluminam o litoral como fogos de artifício, como eu vira nos cartões-postais perfeitos de Matt milhares de vezes.

— Costumávamos vir aqui fazer piquenique quando eu era pequeno — conta Sam, estendendo a toalha na areia. — Não venho aqui há algum tempo.

Sento-me na toalha ao lado dele. — Conte-me uma história — peço. — Só quero ouvir.

— Claro. Venha cá. — Ele se deita e me puxa contra seu peito, acariciando meus cabelos. Então ele me conta como é crescer na Califórnia e como é difícil fazer amigos, porque todo mundo que você conhece vai embora no fim do verão. Sua voz é grossa e suave, abafada contra meu ouvido.

— A coisa mais trágica na Califórnia é que nada é permanente ou real — ele diz. — Isso irrita, sabia?

— Não. Eu queria poder ficar aqui para sempre.

— Mas não pode, Anna. Essa é a questão. — Ele ergue meu queixo e olha para meu rosto. — Você é como um belo e maluco fantasma, e, quando eu acordar, você terá ido embora, e eu me perguntarei se isso aconteceu de fato.

— Sei o que você quer dizer — concordo, desejando não saber.

Sam me pergunta de Nova York, acariciando minhas costas enquanto conversamos. Eu lhe conto sobre nossa infância, dando uma cuidadosa volta na tragédia que me define tanto. Mas todas as minhas histórias de infância — histórias importantes — chegam ao mesmo e inevitável fim.

Antes — juntos.

Depois — separados.

Antes — feliz.

Depois — triste.

Estar com Sam nesta viagem é como tirar férias da dor, mas agora não posso falar sobre viver sem pensar em Matt. O esforço para afastá-lo de meus pensamentos e palavras me suga. Por fim, sua lembrança vence, se insinua em minha mente e me faz me aproximar em silêncio do som do mar e da respiração de Sam.

Pouco depois da morte de Matt, fiquei com medo de quase tudo. Não conseguia nem mesmo roer as unhas ou cheirar minha camiseta para ver se precisava de desodorante sem sentir que ele estava me observando. Chorei, rezei e implorei para que ele me desse um sinal de que *estava* mesmo olhando, de que *estava* comigo, para que eu soubesse.

Mas ele nunca me deu nenhum sinal. O tempo passou. Deixei de sentir medo.

Até agora, vulnerável e insegura e um pouco bêbada. Deitada na areia e me sentindo loucamente apaixonada por alguém que acabei de conhecer. Matt está me olhando. Observando. É bem provável até que esteja me julgando. E a pior parte é que não *quero* mais acordar ao lado de sua barreira de rochas tristes. Não quero sentir o sabor da cobertura de marzipã e de cigarro de cravo. Não quero pensar no colar de vidro azul ou nos livros que ele lia para mim na cama ou nas pilhas de coisas da faculdade ou em algum garoto na mercearia usando suas roupas que foram doadas.

Não quero ser a melhor amiga que se tornou outra coisa do menino morto.

Ou a vizinha amiga apoiadora.

Ou a mantenedora de graves segredos para sempre.

Só quero flutuar, suspensa aqui em minha cápsula do tempo californiana sem o anoitecer de ontem ou a aurora do amanhã no horizonte.

Apagada.

Qual é a sua primeira lembrança?, perguntei a Matt. Estávamos lavando seu carro enquanto Frankie preparava sanduíches na cozinha.

A maioria delas é na Califórnia. Do mar. Não me lembro bem da primeira vez que o vi, só de como me senti.

Como?

Incrivelmente pequeno. Impossivelmente insignificante. E completamente seguro. Meio louco, né?

Não.

Qual é a sua primeira lembrança?

Quero lhe dizer que foi meu aniversário de quinze anos, duas semanas antes, porque tudo o que aconteceu antes disso era um luar pálido contra o sol daquele beijo. Mas lhe digo que tem a ver comigo sentada no jardim com meu pai, enquanto Matt pega larvas e tenta alimentá-las com folhas de carvalho da árvore de nosso jardim. Eu devia ter uns três anos.

Eu queria criar uma fazenda de lagartas. Não acredito que você se lembra disso, Anna. Matt sorriu, tirando o sabão das mãos.

Não é tão legal quanto ver o mar pela primeira vez, mas ainda me faz sorrir.

Prometo que levarei você para lá algum dia. Quero vê-lo com você. Quero ver tudo com você.

Sam me olha sério, como se estivesse tentando ler minha mente. Não consigo encontrar palavras para essa conversa e, mesmo que conseguisse, talvez apenas chorasse. Assim, faço outra coisa melhor: um beijo.

Apagada.

Ele me beija com mais intensidade e se deita sobre mim, tirando meu moletom. Seus quadris estão pressionando os meus, com mais força e proximidade do que antes. Sinto coisas que nunca senti, em lugares que nem sabia que existiam, como cem florezinhas se abrindo ao sol depois de um verão longo e severo.

Em algum lugar sob minha pele recém-bronzeada eu sei que deveria esperar, que isso deveria ser algo especial, que deveria ser com alguém com quem eu pudesse acordar pela manhã, amanhã e sempre.

E se ele pensar que sou uma turista em busca de um caso romântico a distância, de modo que eu possa apenas compartilhar seus cartões-postais manchados pela praia com as amigas?

Não — depois destas férias, é isso. Sam e eu não existiremos no contexto *Sam e eu*. Eu o perderei, assim como Matt. Seja a morte ou a distância entre Nova York e a Califórnia, em pouco tempo acordarei e Sam desaparecerá.

Sam, cujos cabelos marejados caem em ondas sobre meu rosto enquanto ele me beija.

Sam, cujos olhos verdes estão sobre mim como suas mãos, procurando e achando, quente e intenso.

Sam, cuja pele tem sabor de sal e verão.

Sam, cujo sobrenome é... um mistério total.

— Espere! — Afasto-me dele, que se confunde para tirar a parte de cima de meu biquíni. — Acabo de perceber que não sabemos os sobrenomes um do outro. O meu é Reiley. — Olho para ele com uma sensação de urgência, como se essa nova informação impulsionasse a noite louca.

Ele ri.

— Macintosh.

— Como a maçã? — pergunto.

— Como o computador.

— Isso. A mesma coisa, não é?

— Humm, Anna?

— Sim?

— Chega de falar — ele sorri.

— Certo — suspiro, passando os dedos pelo lábio inferior dele. Minha mente está mais agitada do que meu coração, mas não sei como impedi-la. Não quero parar. Quero devorar tudo a respeito dele. Quero saborear sua boca e sentir o cheiro de seu xampu e morrer com essa lembrança, imediata e rápida, antes que qualquer coisa possa eliminá-la.

Ele se aproxima para me beijar de novo, mas coloco a mão sobre seu peito.

— Sam, quero dizer, está *tudo bem.* Você tem...? — Espero que minha lembrança brilhe em seu rosto.

— Sim — ele diz, enfiando a mão no bolso de seu moletom, a meu lado. Ouço o barulho do plástico sendo rasgado enquanto ele abre a embalagem da camisinha.

— Tem certeza? — ele pergunta.

— Tenho.

Ele me beija com mais força, respirando pelo nariz enquanto abre o zíper, desamarra, desabotoa e tira nossas roupas, beijando minha barriga. Sua boca se volta devagar para meus lábios, murmurando enquanto abro minhas pernas e o aceito dentro de mim.

Não dói exatamente — é só... *estranho.* A princípio prendo a respiração, minha bermuda e biquíni pendendo de um dos tornozelos como se não tivessem sido tirados a tempo e agora tivessem de passar por tudo aquilo sem fazer qualquer barulho, muito menos ser descobertos.

Sam se apega a meus cabelos, indo e vindo contra meu corpo como as ondas diante de nós. Sinto o ritmo e relaxo enquanto meus ombros e quadris criam trincheiras na areia sob nossa toalha. Por meio da seda de seus cabelos, observo o luar alaranjado, sentindo o sal de sua pele em minha boca, respirando fundo, esperando que as estrelas caiam ao nosso redor.

Mas elas não caem.

Elas só se apagam, admirando em silêncio, pairando sobre as ondas até que Sam se desembaraça do meu corpo e eu me sento, vestindo minhas roupas.

O brilho do céu noturno ofusca na maré baixa, evaporando na aurora rosada com o albatroz que há muito abandonei.

De alguma forma, não me sinto nada diferente de como me senti diante do espelho na festa. Não me sinto mais velha. Nem mais inteligente. Nada de oculto em minha vida foi de súbito esclarecido ou desmistificado agora que faço parte de um clube secreto.

Sam se deita com os olhos fechados, os braços cruzados sobre o peito.

— Fique comigo, Anna Reiley — ele sussurra, sonolento, sorrindo. Toco a barriga dele com a ponta dos dedos.

— Vou só lavar os pés. Já volto — seguro as sandálias com um dos dedos e ando descalça até a água, minha bermuda aberta pendendo da parte de baixo do biquíni. Suja de areia, a borda do biquíni balança em minhas coxas como teias de aranha.

Deixo que a água lamba meus pés e espero por um sinal de que estarei bem, de que o que fiz está certo, de que *tudo* está certo. Olho para o mar de alcaçuz e espero.

As ondas sussurram contra o litoral como fizeram a noite toda, sábias, antigas, inalteradas.

A areia e o luar e os guarda-sóis fechados do hotel como flores no anoitecer permanecem imóveis, sem serem alterados ou afetados.

O mar molha meus dedos dos pés, para então recuar, seu toque opaco na areia evaporando no mesmo instante.

Tomei a pílula mágica, agora está feito.

Lavo as mãos na água e me volto para Sam. Devem ser cinco da manhã. Ele está sentado agora, observando-me com seus olhos verdes, tremendo e sorrindo.

— O quê? — pergunto, enfiando os dedos na areia, escondendo meu sorriso.

— Não se mova, Anna Reiley — ele diz. — Neste exato momento, tudo está perfeito.

24

Caminhamos pela praia ao nascer do sol, de braços dados, as cabeças baixas, verificando a areia úmida que passa sob nossos pés. Meus bolsos ficam mais e mais pesados a cada pedaço de vidro do mar que coleto — verdes, azuis, brancos e cor de âmbar. Depois de três semanas na praia, ainda me sinto maravilhada ao notar que coisas que já foram um todo, já fizeram parte de alguma outra, possam se quebrar e cair no mar, viajar milhares de quilômetros e acabar aqui, passageiras nos bolsos de meu moletom branco.

O restante da praia ganha vida, preparando-se para os turistas matinais. Os funcionários dos hotéis andam pela praia como formiguinhas em bermudas cáqui e camisas polo em tons pastel, limpando, endireitando as coisas, se antecipando. Enquanto os guarda-sóis bocejam e espreguiçam suas pétalas brancas e amarelas contra o sol, Sam sorri para mim.

— Está tudo bem, Anna? — ele pergunta.

Enfio as mãos nos bolsos, sentido os vidros frios e lisos entre meus dedos, me lembrando de algo que lera numa das lojas de ninharias na Moonlight Boulevard com Frankie e Jayne.

— Dizem que os vidros do mar são lágrimas de uma sereia apaixonada — comento. — Ela foi banida para o fundo do oceano por toda a eternidade pelo Rei Netuno porque se apaixonou pelo capitão de um navio e o salvou de uma tempestade.

Sam faz que sim.

— É, já ouvi isso. Há todo tipo de história como esta por aqui. Mas às vezes você tem que ver as coisas apenas como elas são e admirá-las, sem rotulá-las ou explicá-las. As explicações acabam com o mistério, não é?

— Acho que sim. — Abaixo-me para pegar um vidro azul-turquesa que vejo sob meus dedos, e é então que vejo, escuro e profundo, emergindo da areia molhada. — Ah, meu Deus, olhe!

Levanto-me e estendo a mão para que Sam possa ver.

— Uau — ele diz, pegando o vidro do mar e o erguendo contra o sol. — O vermelho é tipo a cor mais rara que existe. Você tem muita sorte de tê-lo encontrado.

Pego o vidro do mar vermelho-escuro da mão dele e sorrio, olhando para o oceano. Eu havia dito a Matt em minha carta, antes de sairmos de Nova York, que encontraria um vidro assim só para ele. Mas, agora que ele está aqui, brilhando em minha mão, sei que Matt gostaria que eu fizesse outra coisa com ele.

Eu o ergo sobre a cabeça e o jogo o mais longe que consigo no mar.

Que outra pessoa tenha seu dia de sorte, Anna.

Sam ri.

— Ei, louquinha, por que você fez *isso*? É bem capaz de você não encontrar nada parecido pelo resto da vida.

— Certo. Mas eu *vi*. E agora outra pessoa também poderá vê-lo.

— Não entendi.

Dou de ombros e sorrio.

— As explicações tiram a graça da coisa, certo?

— Hummm, certo. — Ele ri e me dá um abraço quente.

Andamos o restante do caminho até a casa de Eddie de braços dados, um cansaço feliz ameaçando nos superar. Minha pele se arrepia com o friozinho da manhã, mas estou quente e leve por dentro, tonta pela falta de sono, pela maneira como me sinto perto de Sam e pelo episódio do vidro do mar vermelho — sinal do universo ou não.

Ao nos aproximarmos da casa, cabelos castanhos surgem na escadaria que leva até o jardim dos fundos. Quando vejo a camiseta azul, reconheço-a.

— É a Frankie. Ela deve ter esperado por mim ou coisa do gênero. Onde será que está o Jake?

— Ele ia dar aula logo cedo, deve ter ido embora. Por falar nisso, tenho que estar no trabalho dentro de três horas. Tenho turno duplo esta noite.

— Você mal consegue ficar de pé! — Empurro-o de leve, desequilibrando-o para provar meu argumento.

— Não. Só preciso de uma hora de sono e de um pouco de café. Vou ficar bem.

— Tá bom — Aceno para Frankie. Ela está sentada na escada nos olhando, esperando que eu preste atenção nela.

— Nós vamos vê-las mais tarde? — pergunta Sam.

— Talvez passemos por lá para tomar smoothies. Se não, com certeza nos veremos hoje à noite. — Ele sorri e me abraça, beijando-me nos lábios e na testa antes de seguir pela praia, e eu me pego sorrindo.

Só porque posso vir a.

Amá-lo.

Para sempre.

A julgar pelo lixo no pé das escadas, a festa migrou do jardim para a praia depois que saímos. Ando por entre garrafas e pratos de papel até alcançar Frankie. Ela tem a cabeça apoiada na mão sobre o corrimão e parece que dormiu quase tanto quanto eu.

— Ei — digo, esperando que ela note algo diferente em mim. — O que você...

— *Você* — Ela não se move ao falar e não há nada de cálido ou feliz em seu tom de voz. — Fique *longe* de mim.

— Frankie, do que é que você está falando? — Tento me lembrar de algo que eu tenha feito ou dito na noite anterior para irritá-la, mas nada me vem à mente. Ela estava bem quando saí com Sam. E fazer eu me livrar do A.A. era sua missão. — O que há de errado com você?

Ela se ergue para me encarar. Sua expressão, assim como sua voz, é vazia e plana. A maquiagem preta e seca mancha a pele sob seus olhos. Na mesma hora meu coração se encolhe.

— Frankie, o que aconteceu? Foi o Jake? Aconteceu algo com ele? Ele a machucou?

Ela me encara sem piscar, a respiração calma. Seus olhos estão mais do que irritados. Mais do que magoados. Mais do que preocupados.

Eu só a vi assim numa outra ocasião: na recepção do hospital, quando o médico saiu com o capelão para nos dizer que não haviam conseguido salvar Matt. A mãe dela desmaiara e o pai, segurando um saco cheio de coisas de Matt, gritara "Não! Não! Não!" repetidas vezes. Frankie só ficou olhando para eles, com a mesma expressão fantasmagórica, sem fazer barulho algum, apenas as lágrimas rolando pelo rosto.

— Frankie, fale comigo. Aconteceu alguma coisa na festa? O que está havendo? Devemos ligar para alguém? — Minha voz está trêmula e rápida. Se a tocar, ela pode se estilhaçar. Queria que Sam estivesse aqui. — *Por favor*, fale comigo.

Arrisco-me e coloco a mão sobre seu ombro, acionando um botão invisível. Ela recua, voltando a seu corpo de onde quer que estivesse. Seus olhos vibram, raivosos. Seu rosto fica vermelho e seus ombros tremem com violência, mal contendo o conflito dentro dela.

— Falar com você? *Falar* com você? — ela pergunta. — Certo, vou falar com você, Anna Reiley. Então, onde você *estava* na noite passada? — Sua voz é fina e forçada, tirando sarro de mim.

— Frankie, estava com Sam na Vista. Eu lhe disse isso antes de sair. Lembra?

— Com ele? Tipo, *com ele* mesmo?

De repente, sinto-me envergonhada. Não esperava que minha melhor amiga reagisse daquele jeito quando lhe contasse sobre a noite passada.

— Estava tentando lhe contar...

— Ah, *por favor.* Deixe isso para lá. Você não vai me contar esse tipo de *merda.*

— Frankie, você sabe que eu não esconderia uma coisa dessas de você.

— É mesmo — ela diz, em vez de perguntar. — Assim como você me contaria sobre *isto?* — Ela então pega algo atrás de si e esfrega em meu rosto, suas mãos esbranquiçadas e trêmulas. Quando vejo o retângulo roxo, demoro um minuto para perceber o que é, para juntar as coisas. É como quando tia Jayne reorganizou o quarto de Frankie pela última vez. Todas as suas coisas ainda estavam lá, mas não da forma como deveriam estar. Nós acordávamos e nos esquecíamos de onde estavam as coisas.

A imagem dos dedos bronzeados de Frankie em torno de meu diário parece um filme de ficção científica. Aqueles são mesmo seus dedos. Aquele é mesmo meu diário. Mas a justaposição dos dois objetos antes desconectados não pertence a esta dimensão.

— Este é o meu... meu... — Não consigo falar. Meus joelhos tremem. Aquela velha sensação irascível sobe pelas minhas costas e nuca. O som das ondas na praia é amplificado. Sinto o sangue correndo das minhas veias para o coração. Estou hipersensível. Em câmera lenta. Culpada e com raiva.

Jogo-me contra ela para pegar meu diário, mas ela é mais rápida e recua, rumo à água.

— Eis aqui um bom texto — ela lê de um registro aleatório. — "Querido Matt, há tanto quero lhe falar. Todos os dias algo acontece na escola e eu quero voltar para casa e lhe contar, mas não posso". Ou que tal este? "Querido Matt, às vezes me pergunto se algum dia vai deixar de doer."

Frankie está folheando as páginas, gritando meus temores e sonhos para o vasto oceano, liberando-os de suas prisões do papel e me partindo em pedacinhos.

— Frankie, por favor, pare! — digo num sussurro.

— "Querido Matt, sua irmã está fora de controle. Queria que você estivesse aqui... Não sei como ajudá-la. Na noite passada ela saiu com esse cara da escola e foi até o campo de futebol e..."

— Pare! — tento gritar, mas ainda sai como um sussurro.

— Você acha que sabe de tudo? — ela grita. — Para sua informação, não dormi com Johan! Fomos até lá, mas ele não quis ficar comigo.

— O quê?

— Nada aconteceu. Não dormi com ele! E, já que estamos falando a verdade, também não dormi com Jake. Está feliz agora? Quer escrever isso no seu caderninho?

Não acredito no que estou escutando. Abro a boca para dizer algo frio e raivoso, mas nada sai. Tudo o que consigo fazer é tentar pegar meu diário, meus pensamentos escritos como os filhos perdidos de minha alma.

Frankie recua mais um passo, ainda folheando as páginas.

— "Querido Matt, enfim chegamos à Califórnia, e é exatamente como você me falou. Sinto que você está aqui com a gente — e acho que a Frankie sente também." Como você *ousa* escrever sobre mim aqui? Como você ousa escrever para o meu irmão? Você acha que só porque saíram algumas vezes ele se preocupava com você? Você acha que ele não a teria dispensado assim que encontrasse uma menina nova na Cornell? *Se liga!*

As lágrimas rolam quentes em meu rosto. Minha garganta se fecha. Meu coração está partido e eu estou paralisada por inteiro.

Frankie puxa a capa e tenta retirá-la da espiral de metal, conseguindo apenas em parte. A capa pende na brisa como uma asa quebrada, revelando a imagem para a qual olhei todas as noites desde a morte dele. *O braço de Matt sobre meus ombros, pedaços de bolo e doces coloridos e grama presos às nossas roupas e cabelos, tudo quente e rosado sob o pôr do sol, o verão todo se estendendo diante de nós.*

Depois que ele morreu, passei horas olhando para aquela fotografia, reproduzindo a festa em minha mente, desejando que as imagens bidimensionais ganhassem vida, que nos levassem de volta para lá. Podíamos contar a Frankie na mesma hora. Podíamos estar juntas. Podíamos deixar a Custard's de lado e ir direto para o hospital e pedir que salvassem Matt antes que algo ruim acontecesse.

Pigarreio e encontro minha voz de novo, mais firme desta vez.

— Devolve, Frankie. Você não tinha o direito de ler isso e não tem o direito de rasgar. Devolve.

Ela me olha com seus olhos loucos e perdidos.

— Não, acho que não.

Estou desesperada.

— Frankie, *por favor* devolve meu diário. Por favor. Desculpe não ter lhe contado, mas é tudo o que me resta de...

— Anna, ele era *meu* irmão. *Meu.* Você não tem o direito de ter *nada* dele! — Ao dizer isso, ela dá as costas para mim e caminha para a praia, arqueando seu braço para trás, a mais rara lágrima da sereia brilhando em seu bracelete, como o vidro que devolvi ao mar há pouco tempo.

— Frankie, *não*! — Corro na direção dela, mas minhas pernas parecem pesadas como se eu estivesse paralisada num terrível pesadelo. Eu a alcanço e agarro a parte de baixo de sua camiseta, derrubando-a na areia.

Mas o diário não está mais em suas mãos.

Ele está no ar, caindo na água com um simples *plop*.

Ele flutua por um instante, indo e vindo na corrente, dando-me uma última chance de recuperá-lo. Levanto-me e corro para a água, atravessando a maré com braços e pernas pesados, nadando e me esticando para pegá-lo.

— Anna! Deixe-o! Deixe-o ir! —Frankie grita, de joelhos na água.

Ainda nado em direção ao diário, mas a corrente é forte demais, puxando minhas pernas e braços e queimando em meus pulmões até que eu não consigo mais manter a cabeça acima da água sem lutar. À medida que nado em direção ao raso, a maré afasta por completo o diário, contornando-o, dando tempo apenas de eu dar uma última olhada em suas páginas antes que elas mergulhem nas profundezas do mar revolto.

Meu coração se parte em milhares de pedacinhos, cada qual batendo separado e de maneira dolorosa.

Eu o perdi de novo.

Quando saio da água, sento-me na praia, coloco a cabeça entre as mãos e choro até não aguentar mais. Não me importo com o que Frankie pensa. Não me importo se os convidados da festa ou os funcionários do hotel me virem. Não me importo nem mesmo se Sam voltar e me encontrar, de olhos inchados, o nariz escorrendo e o coração partido.

Minha melhor amiga está encolhida na areia a meu lado como uma boneca de papel.

Minha virgindade se foi.

O mar engoliu meu diário.

E eu preciso me esforçar muito para não mergulhar e segui-lo até o fundo do mar, perdido em toda a eternidade, como a sereia apaixonada e banida.

25

A culpa por não contar a Frankie sobre Matt e mim é avassaladora, mas é menor do que a violação que sinto por ela ter lido meus pensamentos mais secretos, particulares e tê-los destruído. Ela invadiu meu coração bem protegido, roubando a única conexão restante que eu tinha com Matt, transformando-a numa monstruosidade. Para piorar as coisas, durante todo o tempo que ela passou me educando sobre primeiras vezes e se exibindo como a Rainha do Amor, ela também estava carregando um pesado e esquisito albatroz; ela não tinha mais experiência do que eu.

Não consigo nem mesmo olhar para ela.

Da parte de Frankie, ela também não consegue me olhar. Depois que derramamos nossas lágrimas silenciosas na praia, ela volta para a casa de Eddie sozinha.

Dissemos a Red e Jayne que voltaríamos antes do almoço. Se voltássemos antes do café da manhã, ensopadas e de olhos inchados, eles saberiam que algo estava errado. Tínhamos de esperar ali.

Subo as escadas até o jardim, pernas e coração pressionados por tristeza e cansaço. Algumas pessoas estão nas espreguiçadeiras na beira da piscina, desmaiadas, ignorando as batalhas anteriores entre Frankie e mim. Na entrada dos fundos, tropeço numa pilha de caras cujas roupas reconheço do fã-clube da cerveja-pongue. Caminho até a cozinha antes de me apoiar numa parede suja. O cheiro do vômito de alguém se anuncia orgulhosamente, se estendendo e tentando me sufocar. Há caixas abertas de pizza, e migalhas enchem a cozinha, a porta que virou mesa revirada está lá, e uma camada de areia misturada a uma de cerveja recobre todas as superfícies à vista.

Nunca senti o cheiro de um corpo em decomposição, mas imagino que aquele odor chegue perto.

O lugar está silencioso, exceto pela dissonância de roncos e o zumbido dos alto-falantes sem música. Várias das pessoas da noite anterior se encontram distribuídas pelo piso da sala de estar, fedendo, de ressaca e manchadas de maquiagem e cerveja.

Encontro o caminho de volta pelo corredor, abrindo três portas antes de achar o armário onde deixei minha mochila ao lado da de Frankie. A mochila dela desapareceu, mas a minha ainda está ali. Abro-a devagar, esperando que as últimas horas tenham sido apenas uma ilusão criada por uma euforia movida a Sam.

O bolso da frente está vazio. Os bolsos do meio estão cheios de tudo o que eu trouxe na noite anterior, exceto a única coisa que me importava.

Com minha mochila, tranco-me no banheiro que descobri na noite anterior. Por sorte, não havia ninguém desmaiado na banheira, por isso tomo um banho quente e rápido, usando os produtos que estão no banheiro.

Depois do banho, visto a bermuda e a camiseta rosa que trouxe para dormir, guardando as roupas ensopadas no bolso do meio. Ao limpar o vapor do espelho, meu rosto ganha foco e se parece, para minha surpresa e decepção, bem como eu me lembrava dele. Além da ressaca emocional completa, com olhos inchados e a expressão cansada, é a mesma cara de sempre, a mesma da noite anterior — nada de novo ou melhorado.

De volta à área principal da casa, verifico o perímetro para ver se Frankie está nas proximidades e encontro um lugar no chão, perto da sala de estar. Do outro lado, Eddie está desmaiado numa poltrona de couro, usando um sutiã preto estufado com guardanapos sobre sua camiseta verde.

Ouço o mar e os roncos a meu redor. Fecho os olhos e respiro mais devagar, mas o sono me seduz. Há duas horas imaginava este momento de forma bem diferente — deitada no chão perto de Frankie, rindo ao contar minha noite para ela, planejando nossas atividades para os últimos dias do M.V.T.T.

Em vez disso, o pensamento aperta meu peito e me atinge com setas negras e raivosas.

Minha mente se alterna entre lembranças dos lábios de Sam contra os meus e a intolerável tristeza de ter sido traída por alguém que eu amava e em quem confiei durante toda a minha vida.

Acho que ouço alguém gritando na porta e me pergunto logo por onde anda Frankie. Antes de ignorar minha imaginação, ouço o chamado uma segunda e terceira vezes.

— Arrumação! Arrumação!

O anúncio precede algumas batidas e o som inequívoco das chaves na porta.

— Senhor e Senhora Donovan? Alguém em casa?

A porta se abre, dando lugar aos raios de sol que caem em peso no rosto de Eddie, mas ele não se incomoda. Eu me escondo mais, de modo que possa em segurança observar o drama de outra pessoa se desenrolar ao ser sugado por ele.

— O quê... meu Deus, menino! Alguém *morreu* aqui? — A arrumadeira abre a porta com seu aspirador de pó industrial e se aproxima do sofá onde Eddie enfim se remexe.

— Oi — ele boceja, um sobrevivente da tempestade, preso numa zona de guerra entre corpos, garrafas, pontas de cigarro, pedaços de roupa, bordas de pizza, copos plásticos, pedaços de uma escultura cara quebrada, e areia.

— Edward, onde estão seus pais? — ela pergunta, cruzando os braços gordos.

Eddie se senta devagar e analisa o estrago.

— Não se preocupe, Maggie — ele diz, com a voz grogue. — Você não precisa limpar isso. Vou cuidar de tudo.

— Ah, sei. Quando eles voltam?

— Amanhã, eu acho.

— Deve ter sido uma festa e tanto — ela comenta, segurando os seios com as mãos e acenando para a lingerie de Eddie.

— O quê...? — Eddie sente a renda contra seu corpo e balança a cabeça, com certeza sem se lembrar de como aquilo chegou ali.

— Certo. Então ligue se precisar de alguma coisa, *Edward*. — Ela chuta uma garrafa, pega o aspirador e bate a porta. A garrafa rola pelo chão e para contra uma caixa de pizza perto dos pés de Eddie.

— Merda — Ele se inclina na poltrona, segurando a cabeça no meio das mãos, sem fazer qualquer esforço para tirar o sutiã.

— Passando mal? — pergunto, saindo de meu ninho ao lado da sala.

— Não, só uma dor de cabeça.

— A arrumadeira não vai contar nada a seus pais?

— Talvez. Mas isso não importa, desde que eu limpe tudo. A mesma coisa todos os verões. Eles não têm tempo para se importar.

Viro-me para falar com Frankie. *Está vendo? Há todo um mundo de pais que não se importam.* Mas daí lembro que Frankie não está perto de mim e que, por sinal, eu a odeio.

Eu me ofereço para ajudar Eddie no esforço de limpeza, mas ele recusa.

— A Maggie vai voltar. É um joguinho nosso. Ela se finge de surpresa e preocupada, depois vai embora. Eu acordo e mando todo mundo embora. Depois ela volta e me ajuda a colocar as coisas de volta no lugar.

— Ela deve gostar de você.

— Na verdade, não. Ela gosta dos cem dólares que lhe dou mais tarde. — Eddie prepara um pouco de café e dá início à tarefa de acordar os mortos deitados pela casa, na piscina e no quintal. Pergunto se ele viu Frankie.

— Sim, ela está lá em cima. Vocês duas devem ter *bebido muito* na noite passada. Pareciam péssimas!

Forço um sorriso.

— Já me chamaram de coisa pior.— *Há apenas algumas horas, na verdade.*

Sirvo-me de uma xícara de café na cozinha e espero pela Princesa Perino. É provável que eu possa citar sete *mil* pessoas com as quais preferia andar pela praia nesta manhã, mas não podemos correr o risco de aparecer na casa separadas. Pelo que tio Red e tia Jayne sabem, nós nos divertimos passando a noite com Jackie e Samantha, rindo até de madrugada, fazendo guerra de travesseiros e respondendo a questionários da *Cosmo* em nossas camas antes de pegar no sono.

Uma hora mais tarde, Frankie desce as escalas toda maquiada para cobrir as provas da confusão. Para meu próprio bem, ela exagera dando adeus a Eddie e agradecendo a "festança". Depois, sem virar a cabeça em minha direção, ela pendura a mochila no ombro e ruma para a porta dos fundos e para a praia, de nariz empinado, barriga enxuta, os ombros para trás, o peito para fora — uma fênix de cabelos castanhos surgindo das cinzas de uma amizade rompida.

26

Mantenho-me a uma distância segura dela, meus sentimentos se alternando entre a culpa e a raiva, mais raiva do que culpa. Frankie não olha para trás nenhuma vez, confiante de que não a deixarei se distanciar demais. Ela sabe tão bem quanto eu que, se não aparecermos agindo com naturalidade, vamos precisar dar muita explicação.

Dou uma corridinha nos últimos quinze metros para garantir que subamos as escadas do quintal dos fundos juntas, sorrindo, raios perfeitos de sol voltando de uma noitada só para meninas. Red e Jayne estão na cozinha preparando algo para o almoço, no lugar certo.

— Ei, meninas! — tia Jayne diz, enxugando as mãos na bermuda. — Como foi a festa do pijama?

— Boa — ambas respondemos no mesmo tom monótono.

— Parece que vocês não dormiram muito — diz tio Red de trás de seu jornal.

— Papai, você não dorme de verdade quando dorme na casa de uma amiga.

— Desculpe minha ignorância — brinca ele, dobrando o jornal e o colocando sobre a mesa. — O que vocês *fizeram*?

— *Muitas* coisas. Certo, Anna? — A voz de Frank é aguda e insolente.

— Ah, vocês sabem — respondo, pegando uma maçã da bancada e dando uma mordida exagerada. — Bebidas. Meninos. O de sempre.

Frankie arregala os olhos, mas Red e Jayne riem. Eles nunca pensariam que estou falando a verdade.

— Nesse caso, vou com vocês da próxima vez — Tia Jayne pisca e oferece sanduíches e tortilhas na mesa, me encarando um segundo a mais. Depois da primeira noite na varanda, não conversamos mais sobre Matt e Frankie. Eu me pergunto se ela é capaz de perceber a distância entre sua filha e mim neste momento, chegando como gaivotas tontas depois de uma noite de bebedeira — outra tentativa equivocada de esquecimento.

Deixamos as mochilas na sala de estar e assumimos nosso lugar na mesa, nas poses mais naturais que somos capazes de fingir. Estou tão cansada que acho que vou começar a ter alucinações. Parece que meu coração bombeia melaço em minhas veias e meu pescoço esquenta à espera do próximo comentário de Frankie.

Mas nada vem, no entanto. Ela me lança alguns olhares malvados quando Red e Jayne não estão prestando atenção, os quais eu devolvo com a mesma intensidade, mas ela se mantém calada. Obrigo-me a comer boa parte de meu sanduíche e alguns salgadinhos antes de pedir licença e ir para o quarto para uma necessária soneca.

— Certo — diz tio Red. — Vamos acordá-la mais tarde para o jantar. Vocês decidem aonde vamos. Qualquer lugar que queiram.

— Obrigada, tio Red — coloco minha louça na pia e subo as escadas. Inventar uma doença repentina para evitar passar a noite com Frankie deve estar fora de questão, por isso me resigno, tiro a ideia da cabeça e entro nos lençóis frios de minha cama, apagando por um tempo as últimas horas da existência. *Puf!*

Algumas horas mais tarde, Frankie me acorda chutando a lateral da cama.

— Que foi? — pergunto.

— Levante. Vamos jantar em quinze minutos.

— Ah, obrigada por avisar.

— Que seja.

Depois do conflito, Frankie e eu nos aprontamos para o jantar em silêncio, nos desviando uma da outra como se a próxima pessoa a falar ou fazer contato se transformasse em pedra. Ela olha em minha direção e eu na dela, esperando uma abertura, um sorriso, um meneio de cabeça — qualquer indício de que voltaremos a nos falar.

Mas nada vem.

Não de Frankie, que talvez perdoasse o universo por levar Matt antes de considerar me perdoar por não lhe contar o que houve entre nós.

E, sem dúvida, nada também vem de mim. Por mais que eu me divertisse com Frankie, por mais que a amasse e quisesse passar todos os verões com ela, por mais que quisesse cuidar dela para Matt, sei que nunca vai ser a mesma coisa de novo.

Depois de alguns minutos desconfortáveis, Frankie afinal quebra o silêncio, as lágrimas rolando.

— Não entendo como você pôde *não* me falar nada!

— Ah, é mesmo? — grito-suspiro de volta, passando as mãos nos cabelos. — Devia ter lhe contado sobre o Matt, mas está tudo bem quanto a você mentir sobre Johan e Jake?

— Isso é bem diferente e você sabe!

— Deixe de tentar justificar suas besteiras, Frankie! Estou cansada disso!

— Meninas, vamos! — grita tio Red lá de baixo. — Vamos a um restaurante, não a uma formatura!

— Cinco minutos, papai! — grita Frankie, voltando-se para mim. — Ah, então eu devo ser um *monstro* de amiga, não é? *Obriguei* você a vir nesta viagem e a *obriguei* a perder sua estúpida virgindade e a *obriguei* a mentir sobre Matt?

Agarro-a pelo pulso e a encaro nos olhos, quase nariz contra nariz.

— Sabe de uma coisa, Frankie? Para mim, chega. — Largo seu pulso e dou uma olhada em minha expressão no espelho.

— Não se importe — ela diz, olhando para meu reflexo. — Ninguém vai notar.

A noite toda Frankie é uma imagem fantasiosa, falando aos pais de meninas que não existem, jogos que nunca jogamos e filmes aos quais não assistimos, às vezes olhando para mim para acrescentar um detalhe ou um "Ah, eu me lembro disso! Foi tão divertido!". Red e Jayne parecem maravilhados, uma imagem perfeita de férias de verão normais com sua filha normal e sua melhor amiga, também normal. O que poderia ser melhor?

— Estou tão feliz que tenhamos feito esta viagem juntos — diz tia Jayne, pegando a mão de Frankie do outro lado da mesa no bistrô Shelly's Seaside. — Podemos muito bem voltar no ano que vem.

— Talvez possamos até mesmo fazer Helen e Carl virem — diz tio Red.

— Isso! Ótimo, mamãe! — Frankie me lança outro olhar malvado. — Pena que não possamos ficar algumas semanas a mais, não é, Anna?

Penso em Sam e sorrio.

— É, é uma pena mesmo.

Depois do jantar, os Perino nos levam para o píer. Deve ser o último fim de semana de todos na praia. O lugar está cheio.

— Está cheio aqui hoje — Red desvia para não bater num carrinho de bebê. — Por que não vamos até o outro lado da praia? Ainda não fomos lá.

Bem, talvez vocês não tenham ido. Mas sua filha e eu somos praticamente nativas agora.

Andamos pela calçada devagar, Frankie e eu alguns passos atrás, os punhos cerrados, sorrisos forçados sem trair nosso drama particular.

Tia Jayne pergunta se gostaríamos de parar em algum lugar para uma sobremesa e, como fazer que sim e sorrir é mais fácil do que balançar a cabeça e inventar um motivo para *não* querer sobremesa, aceitamos sem pensar.

E, como o universo está trabalhando em sua misteriosa forma durante todas as férias, esta noite não deveria ser diferente, e é por isso que nenhuma de nós se surpreende ao descobrir que tia Jayne está louca por um smoothie.

27

Pânico e entusiasmo tomam conta de meu corpo. No momento, minha cabeça e meu coração estão em conflito, tentando decidir se deveria ficar feliz por ver Sam ou com medo de que, se não executássemos algum tipo de plano de fuga de emergência nos próximos quinze segundos, toda a nossa história sobre Jackie e Samantha iria pelos ares. Frankie se vira para mim morrendo de medo. É a primeira vez que sua expressão mudou, e me amaldiçoo por não ter pensado em deixar claras as regras com Jake e Sam de antemão.

Boa noite, senhoras e senhores! Bem-vindos à Hora da Mentira de Anna e Frankie! Esperamos que vocês tenham gostado do show até aqui. No improvável evento, apareceremos na lanchonete com Red e Jayne Perino a reboque. Finja apenas que não nos conhece ou que são os irmãos mais velhos gays de nossas novas amigas, Jackie e Samantha. Obrigado e boa noite!

A sobrancelha de Frankie está toda arqueada e apavorada, e tudo o que consigo fazer é dar de ombros.

Há uma fila imensa para conseguir uma mesa na Shack esta noite, mas isso não detém Jayne. Pensando rápido, digo que preciso ir ao banheiro e abro caminho pela fila em meio a uma série de pessoas irritadas dizendo: “A fila começa lá atrás!” e “Nada de furar a fila!”.

Sam está no balcão, preparando smoothies em tempo recorde. Demora alguns minutos para ele me ver, e eu continuo a olhar para trás para garantir que Red e Jayne não podem me ver de seu lugar na fila.

— Anna! — Ele enfim olha para mim ao colocar dois gigantescos smoothies de morango na bandeja para uma impaciente garçonete com um rabo de cavalo loiro e delineador exagerado. — Como você chegou aqui tão cedo?

Ele limpa as mãos no avental verde e dá a volta no balcão para me abraçar. Sinto a mesma eletricidade assustadora e emocionante de novo e obrigo meu cérebro a se conter para me livrar do abraço de Sam e lhe dizer, numa versão de cinco segundos, por que ele não pode saber que eu existo.

— Entendido — ele diz, rindo. — Mas isso vai lhe custar caro. É *melhor* você voltar hoje à noite. — Eu lhe prometo que voltarei e volto à fila para encontrar os Perino, esperando que a cor de meu rosto volte ao normal antes que eles notem.

Depois de vinte minutos de histórias inventadas sobre nossas aventuras na praia, sentamo-nos num lugar aconchegante, examinando com atenção o cardápio de duas páginas de smoothies e milk-shakes.

Frankie me pega olhando para Sam e revira os olhos para mim sobre o cardápio.

Estou pensando em matá-la.

A loira impaciente que vi antes anota nossos pedidos sem tirar os olhos do bloquinho. Poucos minutos mais tarde, Sam chega à mesa, piscando para mim ao entregar nossas bebidas.

Frankie me chuta embaixo da mesa, mas eu a ignoro, pegando meu smoothie Va-Va-Vineapple (sorvete de baunilha, abacaxi e Ginger Ale). Os dedos de Sam tocam os meus, lançando um choque pela minha mão que sinto até os braços.

Tio Red agradece Sam, e vê-los respirando o mesmo ar e reagindo à conversa educada um do outro é como ver os dedos de Frankie em meu diário outra vez — dois mundos bem diferentes e distintos em colisão. Quero me enfiar no canudinho de meu smoothie e desaparecer no mar de sorvete e refrigerante de gengibre.

Depois que Sam volta para seu lugar atrás do balcão, Frankie para de me chutar e sugamos nossas bebidas por uns dois minutos, ansiosas para sair dali antes que alguém nos reconheça. Tio Red e tia Jayne, por outro lado, agem como se esta fosse a última barraquinha de smoothie que vissem, como se os smoothies estivessem em extinção e devessem ser apreciados e saboreados ao máximo. A cada minuto Frankie e eu nos abaixamos em nossas cadeiras, rezando para o Deus das Irritantes Coincidências pedindo que Jake não apareça e estrague tudo.

Depois do que pareceram ser três horas, Red paga a conta e voltamos para o anonimato da praia cheia. Sei que é arriscado, mas não resisto a lhe dar um adeus. De repente me lembro de que tenho que usar o banheiro de novo e abro caminho pela fila para chegar até o balcão. Depois de confirmar que não fui seguida, ajoelho-me num banquinho vazio e chamo Sam.

— Então, meia-noite? — pergunto.

— Que tal às onze?

— Onze e meia — digo. — Nem mais nem menos.

— Combinado — Ele se inclina e me dá um rápido beijo na boca, mal tocando os lábios antes que a garçonete frenética grite outro pedido para ele.

— Vejo você à noite. — Ele sorri e se volta para os potes de sorvete atrás do balcão.

Frankie está esperando por mim do lado de fora.

— Você demorou demais — ela diz. — Meus pais estão comprando cartões-postais. — Ela aponta para uma banquinha.

— Tudo bem? — pergunta Jayne quando nos reunimos.

— Sim — digo. — Só um pouco estufada por causa do milk-shake. Frankie acha que, se tentar entrar no carro rápido demais, sua saia vai explodir.

— Na verdade, mamãe — diz Frankie —, a Anna estava tentando conseguir o celular do menino dos smoothies, mas ele a desprezou.

— Ele não gostou da aparência da minha "irmãzinha" — digo.

— Isso e o fato de a Anna não ter seios.

— Meninas! — ri Jayne. — O que há *com* vocês duas esta noite? É a lua cheia ou coisa parecida?

— Não sei. A Anna está uivando?

— Oi, docinhos. — Tio Red entrega seus cartões-postais para Jayne e pega as chaves do carro. — Vamos andando. Ainda temos amanhã. — Tenho algo divertido planejado para nossa última noite.

Faço que sim. Por trás de Red e Jayne, Frankie Perino, destruidora de diário e dupla mentirosa quanto à virgindade, age como criança e mostra a língua para mim.

O tempo de pensar acabou.

Vou matá-la.

De volta à casa, Frankie passa mais de uma hora no banheiro se preparando para a cama. Uso a oportunidade para ajustar o alarme de meu celular. Não quero acordá-la quando estiver tentando escapar — a última coisa de que preciso é outra briga estúpida que pode acordar Red e Jayne. Com o alarme ligado, coloco o telefone sob o travesseiro, desligo a luz da mesinha da cabeceira e cubro a cabeça para não ter de olhar para ela esta noite.

Não me lembro de ouvi-la voltando do banheiro, mas de repente o telefone está tocando contra meu rosto, acordando-me do sono leve. Uso a luz da tela para localizar minhas sandálias e o moletom que coloquei sob a cama antes e noto que a cama de Frankie ainda está intocada.

Isso significa que ou ela está dormindo no sofá lá embaixo ou não suporta o fato de eu ter feito sexo antes dela e está com Jake neste mesmo instante, determinada a reassumir o centro do palco.

Lá embaixo, o sofá vazio e a porta da frente destrancada confirmam. Cultivo a ideia de trancá-la do lado de fora e sair pela janela, mas imagino como a cena se dará. Ela voltaria e perceberia o que aconteceu, bateria com violência na porta para acordar seus pais e os convenceria de que eu ameacei fugir para me encontrar com o Menino dos Smoothies e que ela estava apenas tentando me seguir e evitar que eu fizesse algo de estúpido (*humpf*), como uma melhor amiga deveria fazer (*humpf*), quando ela sem querer trancou a porta atrás de si (*humpf, humpf, suspiro*).

Sigo o caminho que percorremos tantas vezes neste verão — pelo quintal da frente, pela rua, cortando caminho pelo jardim do vizinho, descendo os degraus até a praia, passando pelo píer, pelo labirinto dos luais, até o deque da Shack e diretamente para os braços de Sam.

Sem falar, ele me beija na boca e eu o beijo também, gemendo e me encolhendo contra seu peito como uma marionete quebrada.

28

— Anna, o que houve? O que aconteceu?

— Frankie... e... eu... Não estamos. Nos falando. — As palavras saem numa série de soluços.

— Vocês brigaram?

Faço que sim, abrindo a boca para lhe contar, mas meu cérebro intercepta um telegrama urgente: *Ei, sua boba. Pare. Sam não sabe sobre Matt. Pare.*

— Há muita coisa que não lhe contei, Sam. Não sei nem por onde começar.

Afasto-me e me apoio contra o corrimão do deque para respirar fundo, observando a lua sobre o mar. Queria que tudo fosse diferente. Queria ser outra pessoa. Anna, a viajante transcontinental, mulher de paixões e aventuras! Não a Anna patética amiga que quebra promessas e escreve cartas para meninos mortos.

— Vamos caminhar — ele diz, a mão quente e confortadora sobre meu ombro. — Quando você se sentir melhor, pode me dizer o que quiser.

— Certo.

Andamos até a casa do Eddie antes de eu me tranquilizar o suficiente para começar a falar.

— É uma história longa e louca, Sam.

— Tudo bem, Anna Abby. Estou aqui.

— Certo. Então... Há mais de um ano, havia um cara. Eu gostava mesmo dele. Digo, *de verdade*, desde criança.

— A Frankie o conhecia?

— Nós três éramos grandes amigos. Pode-se dizer que crescemos juntos.

— Complicado.

— Muito. De qualquer modo, no ano passado, no meu aniversário, ele enfim me beijou. — Sam fica quieto, focando em seus pés sobre a areia. É estranho falar sobre isso por vários motivos, mas as palavras estão vindo rápido demais para que eu as detenha, mesmo que quisesse. — Começamos a nos ver o tempo todo, mais do que antes. Todas as noites. Só não sabíamos como dizer à Frankie, porque não queríamos que ela enlouquecesse ou se sentisse excluída ou coisa parecida.

— Faz sentido — diz Sam.

— Ele achava que seria melhor se ele mesmo contasse, por isso eu lhe prometi que não diria nada. Mas, antes que ele pudesse contar a ela, ele... — quase engasgo, pousando a mão sobre o braço de Sam para deter nosso caminhar pela praia.

— O que ele fez? —Sam pergunta.

— Ele só... ele... desculpe. Espere. — As palavras dessa história se passaram milhares de vezes de minhas mãos para as páginas de meu diário, mas nunca de meus lábios para os ouvidos de outro ser humano. Respiro fundo antes de ser capaz de encarar Sam e dizer. — Ele morreu, Sam. Ele morreu por causa de uma doença cardíaca sobre a qual ninguém sabia.

Conto-lhe sobre o acidente de carro e espero pela desculpa automática, o gaguejo esquisito, o silêncio, o "adeus, não consigo lidar com isso". Mas Sam só enxuga meu rosto com seus dedos e me abraça.

— Mantive minha promessa para ele. Nunca contei a Frankie sobre nós. Mas, quando estávamos na Vista, na noite passada, ela leu meu diário e descobriu tudo.

Sam se afasta de mim.

— Espere aí. Ela está com raiva de você por causa *disso?* Mas e quanto...?

— Tem mais, Sam. — Balanço a cabeça. — Frankie estava no carro também. Foi por causa do acidente que ela ficou com aquela cicatriz na sobrancelha. Nós três éramos inseparáveis. Matt é... Matt *era*... ele era irmão de Frankie.

Sam me encara, de olhos e boca abertos.

— Cara... quero dizer, *uau*.

— Ele ia contar para ela durante as férias aqui, quando tivessem algum tempo a sós. Ele estava tão preocupado com ela... Queria ter certeza de que ela ficaria bem com a notícia. Era para eles partirem, tipo, um mês depois que ficamos juntos. Eu odiava fazer as coisas escondido dela, mas prometi a ele. Um mês não parecia muito tempo para manter um segredo.

Quando ele morreu, acabou. Tudo o que eu sentia deixou de importar. Frankie perdera seu irmão e eu era a melhor amiga deles. Era simples. Eu ia manter o segredo para sempre. — Respiro fundo, olhando nos doces olhos de Sam.

— Anna, não acredito nisso. Não sei o que dizer. Não tenho a menor ideia.

— Frankie e eu não queríamos contar para vocês. Era para ser... você sabe, diferente aqui.

— Como assim?

— É difícil explicar. Acho que as pessoas se assustam com a coisa toda da morte, e, uma vez que sabem disso, ela se torna, tipo, a única coisa à qual elas a associam, e tudo o que são capazes de sentir é pena. Sua existência toda se resume a esse evento.

Uma nova onda de tristeza me invade quando penso naquelas noites no quarto de Frankie, sem falar ou fazer nada. Às vezes, depois da escola, nós nos sentávamos no chão com nossas mochilas, olhando para a parede e chorando.

Os primeiros meses na escola foram os piores — pessoas sussurrando ou com expressões compassivas quando passávamos pelos corredores. Professores e meninas deixando flores e bilhetes diante do armário de Matt e desviando o olhar quando faltávamos às aulas. A maioria das pessoas em nossa turma — incluindo os chamados amigos — nos evitava, como se a morte e tristeza fossem contagiosas. A maior parte não sabia sobre a condição cardíaca de Matt, e ninguém sabia o que era pior: perder um irmão e amigo ou sobreviver ao acidente de carro que em teoria o matara. Ninguém conhecia as regras — o que dizer, se era certo rir ou reclamar de coisas como os pais e as notas ou sapatos quando Frankie e eu tínhamos problemas "sérios". Mas, no meio do ano, Frankie virou a chave para o modo *caçadora de meninos,* as coisas voltaram ao normal para todos e a lembrança da morte de Matt murchou como flores secas enfiadas nos buracos de ventilação de seu armário.

— Meu Deus, Anna — diz Sam, os olhos ainda arregalados.

Concordo com a cabeça.

— Perdemos muitos amigos depois disso. No ano passado, éramos basicamente eu e a Frankie. E agora, quem sabe?

— Ela só deve estar chocada. Talvez você devesse tentar conversar sobre isso.

— Sam, ela roubou e *leu* meu diário. Depois o jogou no mar. E *depois* eu descobri que ela mentiu para mim sobre... bem, um monte de coisas sobre as quais ela não deveria ter mentido. Acho que não conseguiremos resolver agora. Acho que estamos... rompidas — Minha voz treme, entre a raiva e a tristeza.

— Venha cá — Sam me abraça, me envolvendo em seu cheiro. Ficamos diante do mar por muito tempo, sua mão fazendo círculos em minhas costas enquanto ouço seu coração bater, firme e forte, como as ondas.

— Obrigada — digo, afastando-me para enxugar os olhos e soltar cerca de quatorze meses de suspiros contidos. — Você é a única pessoa para a qual falei sobre Matt. Irônico, não?

Sam sorri.

— Sem dúvida não é o "O que Fiz nas Férias de Verão" com o qual eu estou acostumado.

Ficamos em silêncio, observando as ondas por um tempo, de mãos dadas. Seu dedo acaricia a palma de minha mão com delicadeza, embalando-me como as ondas diante de nós.

No caminho de volta, Sam diz que devo dar a Frankie uma nova chance.

— Não estou justificando as atitudes dela, mas pense nisso. Vocês são amigas, Anna.

— Não sei se consigo. Ela mentiu para mim sobre uma coisa muito importante. E ela violou e destruiu meus segredos.

— Só estou dizendo que vocês duas se magoaram. E vocês duas perderam alguém que amavam. Não percam uma à outra também.

— Claro. Acho que vi esse Especial Depois das Aulas.

Ele sorri.

— Só pense nisso, tá?

Fazemos planos de nos encontrar na noite seguinte para nossa despedida. Numa rua perto da casa, Sam me beija e espera que eu esteja segura na porta antes de acenar e voltar para a extremidade da praia.

A porta continua destrancada, e presumo que Frankie não voltou ainda, embora esteja surpresa por não a encontrarmos com Jake em nosso caminho de volta. Mas, quando chego lá em cima, Frankie está dormindo em sua cama como se estivesse lá o tempo todo, seu corpo subindo e descendo sob o lençol branco. O luar que entra pela claraboia projeta sua silhueta contra a parede e me faz lembrar de quando éramos crianças, de como ficávamos deitadas na cama e fazíamos shows de sombras no teto com nossas mãos e uma lanterna, conversando e rindo até que Matt batesse na parede do quarto ao lado e nos mandasse dormir.

29

— Acordem, meus amores — tio Red está à nossa porta, nos chamando gentilmente até que abrimos os olhos.

Frankie e eu nos sentamos devagar, nos desvencilhando dos lençóis e camisetas. Os primeiros momentos acordadas são neutros, como sempre, esperando que acessemos a memória e o significado do dia anterior. Nesse instante quase me esqueço de que estou furiosa com Frankie. Mas tudo retorna e eu detenho o surgimento de um sorriso automático a tempo.

— Bom dia, docinhos — cumprimenta o pai dela. — A mamãe está preparando um grande café da manhã, então espero que vocês estejam com fome. — Ele fecha a porta, o silêncio tomando o espaço que deixa para trás.

Frankie e eu saímos da cama e vestimos nossos moletons. Não há o desgaste da noite anterior, apenas não nos falamos. Quero perguntar onde ela esteve na noite passada, se dormiu com Jake e o que está acontecendo com ele. Mas não serei eu a quebrar a regra do silêncio apenas para mergulhar na glória de meu conhecimento e experiência superiores sobre a *Coisa*, o que, graças a meu rompante na lanchonete Shack na noite passada, me esqueci por completo de fazer uma segunda vez.

Lá embaixo, nós nos deliciamos com talvez o melhor e mais extravagante café da manhã que tia Jayne jamais preparou. A mesa está coberta com frutas frescas, as rabanadas mágicas dela, ovos, batatas, bacon, torradas, bolinhos — tudo o que não podemos embalar ou deixar para trás. Durante a refeição, rimos com facilidade, gordos e felizes, conversando sobre como nos divertimos na viagem. Todo mundo está bronzeado e relaxado e vários *minutos* se passam sem que Frankie e eu nos lembremos de que estamos com raiva uma da outra. Tudo começa com "Pode me passar a manteiga?", e prossegue com todos rindo sobre a primeira noite na praia, fazendo anjos de areia com tia Jayne.

Há momentos em que quero abraçá-la, dizer que sinto muito, contar sobre minha promessa, deixar tudo para trás. Mas daí vejo um brilho — ela lendo meu diário com uma voz de sarcasmo, jogando-o no mar como uma pedra —, e a raiva e a mágoa retornam. Para o bem de Red, Jayne e nosso último dia na praia, estou disposta a deixar os sentimentos em suspenso.

Mas não posso fazê-los desaparecer.

Depois do café da manhã, somos sugadas para dentro da tortura chamada Dia de Diversão do Tio Red.

Primeiro: frescobol. Eu e ele contra Frankie e a mãe.

— Ah, papai — grita Frankie enquanto ele entrega as raquetes de madeira. — Isto não é meio infantil?

— Claro — ele responde, sorrindo. — Mas, pelo que eu saiba, você ainda é minha criança.

— Mas, papai... — Frankie arqueia a sobrancelha e tenta enfeitiçá-lo, porém ele está imune.

— Faça a vontade do seu pai, Francesca — ele diz, jogando a bola de borracha na direção dela.

Depois de meia hora de diversão familiar forçada, durante a qual faço cinquenta pontos e libero pelo menos setenta e cinco por cento de minha raiva tentando atingir Frankie com a bola, nosso jogo é interrompido. A princesa é atingida no pé por uma água-viva bebê e age como se um tubarão a tivesse mordido no peito. Por um instante, imagino que aquela água-viva é o fantasma de meu diário reencarnado, para se vingar dela ao espetá-la com a espiral de metal. A ideia me faz sorrir por dentro, mas só um pouquinho.

Há tanto choramingo que até *eu* começo a sentir pena dela. Ajudo Red a levá-la de volta para casa, onde ela pode ser paparicada do jeito certo.

Com meu reino de frescobol interrompido pelo trágico incidente da água-viva, passamos o restante da tarde jogando Banco Imobiliário, distantes dos perigosos seres das profundezas marinhas. Frankie não me dá brecha desta vez. Ela mantém sua perna sobre travesseiros numa cadeira diante de si, com gelo sobre a feridinha no pé, com muito exagero e tirando proveito de minha solidariedade temporária ao pedir, sorrindo, que eu lhe sirva limonada, arrume seu travesseiro e encontre seu hidratante labial.

— Você sempre cuida tão bem dela, Anna. — Tia Jayne dá uma palmadinha em meu joelho e nos traz tigelas de sorvete de chocolate. — Frankie, você tem sorte de ela cuidar de você.

— É, sorte — diz Frankie. — Não é, Anna?

Levanto os olhos de minha tigela de sorvete, o coração derretido, pensando em aceitar as desculpas que com certeza sairão de sua boca a qualquer instante.

— Anna?

A qualquer instante.

— Sim, Frank.

Lá vem.

— Tenho hotéis na Broadway e na Park. — Ela estende a mão e pisca. — Você me deve 1.200 dólares.

— Como está a paciente? — tio Red pergunta quando nos cansamos do Banco Imobiliário.

Frankie faz um teatro, arrumando o travesseiro e misturando o gelo no copo para sinalizar que precisa de uma recarga de limonada.

— Estou bem, acho. Mas ainda dói.

— Acha que consegue andar? — ele pergunta.

— Não sei, papai. Talvez seja melhor não arriscar. Não quero que fique pior.

Dever. Resistir. Prever. Jogar limonada em sua cabeça.

— Que pena — diz Red, dando de ombros. — Acho que teremos de cancelar nossos planos para esta noite.

— Acho que sim — Frankie admite, pegando a limonada de minhas mãos e suspirando como se estivesse carregando o peso do mundo sobre seus ombros bronzeados.

— Que chato — comenta tia Jayne. — O que vamos fazer com aqueles ingressos, querido?

— Que ingressos? — Frankie e eu perguntamos ao mesmo tempo.

— Ah, só um showzinho no Fillmore, em São Francisco. Airplane Pilots? — Red tira quatro ingressos de um envelope na bancada da cozinha. — Ah, *Helicopter* Pilot, é isso. Deve ser um grupo local. Tenho certeza de que vocês nunca ouviram falar deles.

— *O quê?!* — Frankie e eu temporariamente suspendemos nosso ódio recíproco a ponto de trocarmos sorrisos.

— O HP é, tipo, nossa banda preferida no universo! — Frankie grita. — Eles não estão nem mesmo em turnê agora. Como vocês conseguiram os ingressos?

— É um show beneficente — ele responde. — A mamãe ficou sabendo no mês passado e achou que vocês gostariam de ir. É uma pena que você esteja imóvel. Vou ter de ligar para a bilheteria e tentar conseguir uma devolução.

— Não! — Frankie e eu quase tropeçamos uma na outra antes que Red alcance o telefone.

— Mas, minha filhinha querida, você está ferida *com gravidade*. — Ele aponta para o inchaço rosado no pé dela. — Você não pode ir a um show nessas condições, muito menos se vestir toda para um jantar no Fleur de Lys. Todos iriam ver o seu pé quase amputado.

— Papai! — protesta Frankie. — Não estou amputada! E eu... espere... — Ela caminha até a sala de estar e depois volta, mancando cada vez menos até não mancar mais. — Sim, estou me sentindo muito melhor agora. Deve ter sido o gelo e tudo o mais. Estou convalexida por inteiro.

— Convalescida — corrijo.

— Vamos lá, papai! — diz Frankie, me ignorando.

— Por favor, tio Red!

A lealdade que se dane — estou mais do que preparada para deixar Frankie em casa se isso for necessário para um jantar francês e um show em São Francisco de minha banda preferida. Ver os cabelos encaracolados do guitarrista Brandon Barry na quinta fila tem prioridade sobre ferimentos de água-viva.

Tio Red se abana com os ingressos e respira fundo.

— É melhor vocês se apressarem. Saímos dentro de uma hora e meia.

— Maravilha! — Salto como uma menininha. Frankie faz o mesmo, mas para no meio, de repente se lembrando de sua *dolorosa* ferida.

— Que legal! Obrigada, papai. — Ela o beija no rosto e me segue até o andar de cima para dar início ao difícil processo de embelezamento que um jantar chique e um show com sua banda preferida requerem.

Conseguimos nos desvencilhar entre banhos, cabelos e maquiagem, mas até mesmo uma furiosa Frankie não pode deixar o guarda-roupa ao acaso.

— Anna, sei que as coisas não estão boas agora, mas precisamos conferir nossos trajes. Temos de coordenar o tom e o estilo. E também preciso dos seus brincos prateados.

— Que seja — estou resignada à Hora da Moda da Frankie. Ao menos me consolo com o fato de ela não arriscar me fazer parecer ruim. Isso *a* faria parecer mal, por associação.

Decidimos vestir preto com acessórios rosa e prateados. Na verdade, *ela* decidiu as roupas pretas com acessórios rosa e prateados. Eu só concordo com a cabeça e sorrio. Concordo. Sorrio. Em pouco tempo estaremos na quinta fila do show do HP e nada mais importará.

Frankie usa um vestido justo de colarinho com algumas contas, um xale rosa e meus brincos prateados. Claro que está deslumbrante.

Ela me veste com uma minissaia preta e uma camiseta com um xale rosa na cintura, um colar prateado com um coraçãozinho no centro e brincos também prateados.

— Você deveria usar seus cabelos presos em cima — ela diz, me olhando de cima a baixo. — Você tem belos ombros. Deveria mostrá-los.

Prendo os cabelos com grampos pretos e coloco uns enfeites na frente.

— Perfeito — ela avalia, sorrindo para mim. — E quanto a mim? Estou bem? — Ela passa as mãos pela barriga no espelho e, por um segundo, vejo um instante da vulnerabilidade da velha Frankie. Isso me atinge como um soco, e desvio o olhar para não abraçá-la com as desculpas que *ela me* deve.

— Você está linda, Frank — digo, olhando para seus sapatos. — Mesmo.

— Obrigada, Anna. Você também. Ei, não podemos levar a câmera ao show, mas talvez possamos fazer algumas filmagens aqui. Quero dizer, estamos *mesmo* ótimas.

— Claro, Frank. Aqui. — Pego a câmera de sua mochila e a filmo de ângulos diferentes. Ela faz o mesmo comigo, narrando o plano para o restante da noite antes de desligar a câmera e devolvê-la à embalagem.

— Certo, isso deve dar — ela diz. — Pronta?

São Francisco parece diferente à noite, ainda mais sem chuva — toda iluminada e mágica. Tio Red e tia Jayne apontam para lugares que Frankie e eu vimos em nossa viagem de ônibus, mas sorrio e faço perguntas o suficiente para parecer uma novata.

— Vocês duas estão lindas — Jayne elogia. — Vai ser uma grande noite.

O jantar no Fleur de Lys é uma confusão de alimentos decadentes, cujos nomes não sei pronunciar, mas que não tenho problemas para engolir. Nunca vi esse tipo de comida nos cardápios em casa — talvez porque as pessoas como nossos vizinhos adoradores de ketchup e mostarda fossem protestar. *Traga de volta nosso bife! Chega de escargots!*

Frankie e eu conseguimos deixar nossas desavenças de lado, para o bem de Red e Jayne e os meninos lindos da banda HP. Não estamos bem amigas, mas tampouco estamos planejando envenenar a comida uma da outra.

— Vocês, meninas, estão tão quietas — Red diz depois que as sobremesas chegam. — Eu achava que vocês estariam conversando mais a caminho de ver sua banda preferida do universo.

— Só estamos comendo — Frankie replica, sorrindo para mim enquanto come uma colherada de crème brulée.

O Fillmore está cheio, e tio Red tem de pedir que alguns invasores, na quinta fila, saiam de nossos lugares. Sentamo-nos a tempo de olhar o palco antes de as luzes se apagarem.

— Senhoras e senhores — uma voz soa de todos os lugares. — Vamos ouvir a primeira banda da noite, Plazma!

O auditório ganha vida, saudando a Plazma. Eles agitam a multidão e abrem para o HP com vários e longos riffs de guitarra e efeitos luminosos. Frankie e eu permanecemos sentadas durante toda a apresentação, economizando nossa energia para o show principal. Algumas vezes a sinto olhando para mim, mas, quando me viro para encará-la, ela desvia o olhar.

Depois do show do Plazma, os holofotes se acendem enquanto a equipe prepara o palco para o HP. Penso em levar Frankie para o banheiro e acertar as contas, mas mudo de ideia quando a vejo conversando contente com os pais, dizendo a eles tudo o que eles precisam saber sobre nossa banda preferida.

Foi Matt quem nos apresentou o HP há alguns anos. Eles não eram populares ainda, mas ele era fã antes mesmo de formarem um grupo, quando Joe fazia apresentações solo em bares locais, em Buffalo. Ele nos chamava no quarto dele e tocava faixas que encontrava online, emitindo notas e batidas dos alto-falantes. Se fosse tarde da noite, ele repassava seus fones de ouvido, balançando a cabeça até que pegássemos o ritmo. Frankie e eu gostamos da banda de imediato, embora não me lembre se gostamos *mesmo* da música ou se apenas *acreditávamos* em Matt, aceitando seu entusiasmo contagiante sem questionar. De qualquer modo, não demorou muito para a HP se tornar nossa banda preferida. Quando eles lançaram seu primeiro disco, já éramos fãs antigas, graças a Matt.

Quando eles lançaram o segundo disco, Matt e eu já havíamos nos beijado. Ele me surpreendeu com uma cópia do disco no dia seguinte, com todas as letras impressas e presas juntas. *Leia-as, Anna. Leia-as de verdade.*

Quando eles lançaram o terceiro disco, Matt já havia morrido. Ele nunca viu a banda ao vivo.

— É isso aí, pessoal! — O cantor do Plazma volta ao palco, quase rouco depois do espetáculo intenso. — Muitas palmas para os roqueiros da Costa Leste que estamos aqui para ver! Joe, Brandon, Jay e Scotty-O! Helicopter Pilot! Façam barulho!

Frankie e eu nos levantamos com o restante do auditório, gritando e berrando nosso amor inequívoco. Até mesmo Red e Jayne estão batendo palmas, balançando os quadris e rindo naquela dança esquisita que os pais fazem quando estão tentando ser legais, mas estou feliz por estar ali com eles.

Durante três horas, Frankie e eu cantamos, dançamos e rimos até perder o fôlego, com penteados despencando e a maquiagem desaparecendo. Nada mais importa — nem meu diário jogado ao mar ou Johan ou Jake ou quaisquer dos segredos e mentiras entre nós. Somos apenas nós e a música, a linguagem universal do amor e da esperança, da perda e de tudo o mais.

Depois de muita gritaria e dois bis, a Helicopter Pilot termina com o clássico "Heart Shadow". Quando Matt morreu, Frankie e eu ouvimos essa música repetidas vezes no quarto dela, mergulhando no murmúrio de solidariedade no andar de baixo. Não fui capaz de ouvi-la desde que aqueles dias longos e sombrios, e as primeiras palavras me levaram diretamente para lá, para o quarto dela, de volta para nós, duas bonecas quebradas caindo no chão contra a cama.

Black heart shadow,

Set my mind on fire, suffocated by the ashes.

Black heart shadow,

Spin around laughing as the space you fill collapses,

Spinning in circles as the space you left collapses[4].

Quando penso no ano anterior, naqueles momentos no quarto de Frankie em que só queríamos que o mundo acabasse, não acredito no quanto ela mudou. Talvez papai estivesse com a razão ao dizer que seus pais não estavam sabendo lidar com ela. Mas talvez Frankie Perino não *precise* que seus pais lidem com ela.

Observo enquanto ela fecha os olhos e dança no ritmo da música mais dolorosa de nossa história, à deriva para aquele lugar distante, onde não posso segui-la.

---

[4] Sombra do coração escuro / Incendiou minha mente, sufocada pelas cinzas / Girando em meio ao riso enquanto o espaço que você preenche entra em colapso / Girando em círculos enquanto o espaço que você deixou entra em colapso.

Observo-a acenando com os braços, os brincos emprestados se enroscando em seus cabelos castanhos.

Observo-a e penso: "Talvez Frankie Perino também não precise de *mim*."

— Encontre-nos lá na frente quando terminarem — diz tio Red ao ir para o estacionamento depois do show. Frankie e eu entramos na fila para comprar camisetas, as duas em silêncio, ainda tremendo e animadas com o espetáculo. Não há muito mais raiva entre nós, apenas um grande abismo — como amigas de colégio que vão para faculdades diferentes, perdem contato e seguem vidas paralelas sem se cruzar durante anos, até que se encontram num bar ou mercearia e, depois de um breve abraço e cinco minutos de conversa, ambas percebem que o que as unia há muito tempo desapareceu, restando nada para discutir.

Por isso elas meneiam a cabeça e sorriem.

E dão adeus uma à outra.

Divagando em meus pensamentos, perco Frankie quando a fila se divide em várias ao longo da mesa com camisetas, moletons, CDs e adesivos. Compro uma camiseta preta da banda e vou até a outra extremidade da mesa procurar Frankie. Para além de um grupo de meninas experimentando todas as camisetas da pilha, vejo a nuca de Frankie inclinada, na inequívoca posição de um beijo. Um braço tatuado aperta suas costas, a outra mão está firme em seu bumbum.

Já vi esse tipo de desaparecimento antes — na noite da despedida de primavera, quando ela me dispensou para se encontrar com Johan durante duas horas. Eu me senti como se devesse me esconder nas sombras da mesa até que ela terminasse. Parece que ela estava indo mais longe com o tatuado perto da mesa das camisetas do que foi com Johan no campo de futebol.

Eu lhe dei dois minutos antes de alertá-la com uma tossida. Ela interrompe o beijo em seu novo amigo a tempo para um "*O quê?*"

— Nosso caminho é por aqui — digo.

Ela se volta para o cara.

— O motorista da limusine não gosta de esperar — diz.

Ele dá de ombros e a deixa ir, uma das mãos ainda pairando perto de seu bumbum.

— Este é o Rat — ela diz. — Ele é o baixista do Plazma. Você sabe, a banda que abriu o show. Ele é, tipo, totalmente íntimo do Jay Garra, da HP. Ele *estava* prestes a nos apresentar, antes que você interrompesse.

— Humm, certo. Legal. — Não me dou o trabalho de lhe dizer que o baixista do Plazma não tem tatuagens, algo que notei com facilidade do nosso lugar na quinta fila.

— O Garra sabe lidar com as meninas — o suposto baixista do Plazma diz, com uma piscada. — Eu também. É uma coisa de baixista. Qual é o *seu* nome?

— Meu nome é Indo Embora. Indo Embora Agora. — Pego a mão de Frankie e a puxo para os carros enfileirados diante da saída, enquanto ela sopra um beijo para Rat.

— Agora são...Quantos? Sete para mim e... *Quantos* para você? Só um, certo? — Ela se solta da minha mão e me lança um sorriso de deboche.

— Isso mesmo, Frank. Só um para mim. Só um. — Sorrio e vou para o carro com minha camiseta da HP sob o braço, as batidas dos solos intensos de bateria de Scotty-O ainda ressoando em meu peito.

30

É a noite da véspera de nossa partida. Uso minha camiseta nova e calça jeans e me deito entre os lençóis, mas não tenho nenhuma intenção de passar as últimas horas na baía de Zanzibar dormindo perto de Frankie. Antes de desligar a luz, configuro meu celular para despertar e o coloco com cuidado sob o travesseiro, para dali a uma hora e quarenta e cinco minutos.

Já estou desperta quando ele toca contra meu rosto. Dessa vez Frankie está na cama, mumificada entre os lençóis e parecendo adormecida.

Já vestida, pego minhas sandálias e saio do quarto. Dou uma verificada rápida no cabelo e no hálito no banheiro do andar de baixo e vou para a Shack — para Sam — uma última vez.

Sam e eu voltamos para a Vista e estendemos uma toalha na areia, esperando a mesma solidão que encontramos na noite anterior. Conto-lhe sobre o jantar e o show da banda Helicopter Pilot, sobre o qual continuo radiante.

— Isso significa que você e a Frankie voltaram a se falar? — Ele brinca com meus cabelos, envolvendo uma mecha em seus dedos.

— Mais ou menos — digo. — Bem, não... não assim. Foi tipo uma trégua.

— Tenho certeza de que vocês darão um jeito.

Suspiro.

— Não vamos falar da Frankie agora.

Sam meneia a cabeça e me puxa para perto. Nós nos envolvemos na toalha, observando as estrelas, calados. Estou perdida na noite, flutuando e nos vendo de cima, seguindo o rastro de uma estrela cadente.

— Vai ser estranho quando você for embora — Sam diz, apertando meus dedos e me trazendo de volta à terra.

— Não pense nisso. Ainda temos algumas horas.

Ele sorri e me beija, colocando-nos devagar na mesma posição da noite anterior. Dessa vez, eu *não* me esqueço. Dessa vez, enquanto ele se deita sobre mim, apertando sua barriga contra a minha, apertando-me contra a toalha e a toalha contra a areia, percebo que já não é algo que eu deva suportar; não é mais a misteriosa passagem do ponto A para o ponto B que me permitirá ir adiante, numa vida de outro modo paralisada.

O ar está quente, as ondas beijam nossos pés. No horizonte, o sol começa a surgir enquanto a lua continua a brilhar, a luz de ambos ocupando naquele momento o mesmo espaço, cada qual tornando o outro mais encantador. À medida que as estrelas desaparecem para dar lugar à luz rosa do amanhecer, sei que esta talvez seja a última vez que o verei e que, seja lá o que for que a vida me traga, nada será tão especial quanto este momento, o dia e a noite iluminando o mar ao mesmo tempo só para nós dois.

Tiro o moletom de Sam contra minha pele exposta e me deito ao lado dele na toalha, encarando o céu.

— É estranho — digo, esfregando meus pés contra os dele. — Sinto que eu deveria estar triste, mas não estou. Não que eu não vá sentir sua falta, mas parece que...

— Como se tudo estivesse certo — ele diz, completando meu pensamento.

Sorrio.

— Sam, obrigada por me escutar ontem. Você sabe, sobre Frankie e Matt e tudo o que aconteceu.

— Não me agradeça.

— Você sabia que ela foi queimada por uma água-viva? — eu rio, lembrando a encenação.

— A invencível Frankie foi derrubada por uma água-viva?

— Uma bem pequenininha. Mas, quando o pai dela nos contou sobre o show, ela ficou curada quase que por milagre. Foi um milagre e tanto.

Sam ri, encarando-me antes de me puxar para cima dele uma última vez.

Depois, a luz do céu me diz que é hora de voltar. Ainda tenho de arrumar as coisas, e Red e Jayne acordarão cedo para começar a carregar o carro para nossa viagem de volta.

Visto minhas roupas e devolvo o moletom de Sam.

— Fique com ele — diz. — É algo para se lembrar de mim.

— Não preciso de um moletom para isso — digo, já o vestindo.

— Então fique com ele porque está frio.

— Certo.

Sam guarda a toalha e se vira na direção de nossa casa de praia, pegando minha mão.

— Vou voltar sozinha desta vez — digo. — Quero dizer adeus à praia. Além disso, eles acordarão logo.

Sam faz que sim, passando a mão pelo meu pescoço e me puxando para um beijo profundo.

— Vejo-a por aí, Anna Abby de Nova *Yawk* — ele sussurra.

Levo meus dedos a seus lábios, encarando-o pela última vez, e caminho pela praia. Volto-me apenas mais uma vez, vendo-o desaparecer pela praia até que ele se transforme numa linhazinha bege, um pontinho no horizonte.

Eu não o conheço de fato; mesmo assim, em minha vida, você estará para sempre envolvido; em minha história, inextrincavelmente atado.

De volta para casa, todos ainda estão dormindo. Meu corpo está exaurido, mas nesse momento me sinto animada demais para dormir. Em vez disso, caminho para a frente da casa, cruzando a sala e abrindo a porta do deque para sair.

O sol não nasceu por completo até agora e o ar continua frio, misturado a gotículas de maresia. Ando descalça pela grama molhada, como fiz no primeiro dia, e me aconchego no último degrau, permitindo-me ser hipnotizada pelo ir e vir das ondas. Uma gaivota solitária anda pela praia à minha frente, como se estivesse esperando por notícias, mas todos os demais residentes da terra, do ar e da água ainda estão ocultos, deixando-me sozinha com a gaivota para pensar em todas as vezes em que podia ter contado a Frankie como sem querer me apaixonei pelo irmão dela.

Na noite de meu aniversário, antes da promessa, eu podia tê-la puxado para dentro de casa com a desculpa de uma crise feminina e lhe contado sobre meu desejo e sobre como ele se tornou realidade.

Todas aquelas vezes em casa, roubando olhares com Matt no jantar. Pegando seus livros emprestados. Divertindo-se no quarto dele, esperando até que Frankie nos interrompesse. Podíamos ter nos sentado e eu contaria.

Podia ter contado depois do funeral, ao nos trancarmos no quarto dela e escutarmos os CDs da Helicopter Pilot.

Ou quem sabe quando ela me contou aquela mentira sobre Johan.

Todas essas vezes eu não poderia tê-la poupado, não da única coisa que de fato importava para mim: perder Matt.

Eu só podia poupá-la em relação ao segredo. Só podia poupá-la de saber; de imaginar; do inevitável sofrimento ligado àqueles intermináveis "e se".

E se ele não tivesse morrido?

E se nossa história não significasse nada?

E se significasse tudo?

Uma noite Matt me beijou. As semanas seguintes passaram por mim como um borrão, uma bala disparada para o céu, perdida da visão. Quando ele me puxou para perto dele atrás da casa, naquela primeira noite, vi nossa vida toda em seus lábios contra os meus; juntos, vivendo ao lado de Frankie, meu futuro marido, com nossos filhos crescendo juntos e sendo amigos um do outro, docinhos como nós.

Mas, quando ele morreu, eu vi... *nada.* Não havia nada para ver. Aconteceu o impossível, e foi belo. Então, tudo terminou antes mesmo de começar, não deixando nada para trás além de segredos e corações partidos.

E, nessa aurora antes de deixarmos a Califórnia, consigo perceber o que foi mais difícil para mim com a morte de Matt. Não, não foi o fato de eu ter perdido um quase irmão, como Frankie perdeu, ou um filho, como tia Jayne e tio Red. A coisa mais difícil para mim foi não saber com exatidão o *quê* eu perdi, o quanto poderia doer e por quanto tempo eu ainda continuaria a pensar nele. Ele levou esse mistério consigo ao morrer, e cem mil cartas no meu diário não me aproximariam mais dele do que a noite em que peguei no vidro do mar que ele usava no pescoço e o beijei.

Por mais de um ano as cartas foram minha única conexão com ele, a única prova de que nosso breve período juntos não foi *outra coisa*. Ao ver meu diário flutuando nas ondas, senti uma perda tão repentina e avassaladora que foi como voltar à recepção do hospital, quando o médico nos disse que não podia curá-lo. Num minuto o diário estava em minhas mãos, suave, familiar e real; logo depois, desapareceu.

Como Matt.

E, como Matt, eu precisava deixá-lo partir.

31

O sol se levanta atrás de mim, transformando o céu num alaranjado claro. Ainda faz frio e eu puxo as mangas do moletom de Sam sobre as mãos para aquecer meus dedos. Uma sombra silenciosa recai sobre a escadaria e se espalha pela areia perto de mim; dou um salto.

— Frankie? Faz tempo que está aqui?

— Cheguei agora — ela diz, os braços nus cruzados sobre a camiseta de algodão, seus olhos avermelhados. — Acordei a noite passada e você não estava. Já que você não voltou pela manhã, fiquei com medo.

Ajeito-me no degrau para que ela se sente a meu lado. Ela respira fundo, dando início a uma sequência de soluços.

— Desculpe, Anna. Sinto muito. Vim aqui na noite passada para ver se o diário apareceu na praia, mas nada. Nunca quis que isso acontecesse desse jeito.

Aquilo me atinge e eu quero me afastar. Deixar tudo para trás. Esquecer.

Mas Frankie e eu estamos na mesma. Eu lhe devo uma explicação tanto quanto ela me deve.

— Por que você leu, Frankie? Por que você pegou meu diário e leu?

Ela me contou que, quando guardava a câmera, na festa, viu um diário saindo de minha mochila. Ela estava bêbada e queria ver se eu havia escrito alguma coisa sobre Sam.

— Nunca imaginei encontrar coisas sobre... bem, sobre o que eu encontrei.

— Frankie, eu *sei* que deveria ter lhe contado sobre o Matt. Mas ele mesmo queria lhe contar, e eu prometi que não diria nada. Ele queria ter certeza de que você aceitaria a notícia. Achava melhor esperar até vocês ficarem sozinhos por um tempo, na Califórnia. Foi só por isso que eu não lhe contei. Depois, na noite em que você viajou para a Califórnia, tudo aconteceu tão rápido... Eu não queria decepcioná-lo. Não queria quebrar minha promessa. Não queria que você se machucasse mais. Queria estar aqui e...

— Não importa, Anna — ela interrompe. — Matt era meu *irmão.* E eu deveria ser sua melhor amiga. Dói saber que você me escondeu um segredo desses. Você deveria ter me contado.

Olho para a praia à medida que o sol nos atinge. Os atletas já estão nas pistas, seguindo seus caminhos de sempre, ao lado da areia mais endurecida perto da água. Duas mulheres passam por nós lado a lado, sérias, intensas e sem fôlego.

Sei que deveria ter contado para Frankie. *Queria* ter contado para ela. E eu... Matt... nós... teríamos contado, mas... Quando prometi a Matt que não diria nada, não sabia que seria por toda a eternidade. Se eu soubesse que ele morreria antes de confessar tudo para sua irmãzinha, teria acrescentado uma cláusula a nosso acordo.

— Desculpe, Frank. Eu deveria ter contado a você. Mas...

— Um mês inteiro — continua Frankie. — E não foi só isso, mas todo o tempo anterior, o tempo em que você o amou. Você nunca me contou que tinha sentimentos por ele. É como se todas as vezes em que saímos juntos ele não fosse apenas seu amigo, afinal ele sempre representou algo mais para você. Foi sempre uma mentira.

Uma mentira? Isso me atinge como uma marreta, liberando toda a mágoa, tristeza e confusão que mantive dentro de mim pelos últimos quatorze meses. Levanto-me sem falar nada e vou em direção ao mar, incapaz de me segurar.

— Como você pôde nos deixar assim? — grito para o céu, as lágrimas escorrendo pela minha boca. *Só outra menina bêbada*, devem pensar os passantes. — Diga a ela! — grito. — Diga a ela que você me fez prometer! Diga que a culpa é sua! Diga que foi uma mentira sua também! Diga a ela que você me amava!

Diga a ela que você me *amava.*

Olho para o oceano, até o Japão, esperando por uma resposta.

Chuá, chuá, chuá...

Nada.

— Anna, desculpe. — Frankie fica perto da água aos prantos, puxando as mangas do moletom de Sam contra meu pulso. Seus olhos estão pesados, envelhecidos, a sobrancelha partida e apática. — Por favor, Anna. Não... — ela diz, enxugando os olhos com a mão livre. E, com a mesma rapidez que surgiu, a disputa dentro de mim desaparece.

— Como você pôde dizer que tudo foi uma mentira? — pergunto, suspirando um pouco além do normal. — Matt era meu melhor amigo. Eu *sempre* o amei. "Precisamos cuidar dela". Essa foi a última frase que ele me disse. Depois ele morreu. O que eu deveria fazer, Frank? Diga.

Ela cruza os braços e olha para a praia. As ondas atingem nossos pés, geladas e tristes. Meus dedos dos pés doem, mas é a realidade do aqui e agora, e eu preciso senti-la.

— Você não precisa me proteger, Anna. Estou *bem*. — Ela recua para tirar os dedos das ondas, tremendo em sua camiseta da banda HP rosa e branca, os joelhos se tocando para deter o frio, seus cabelos desgrenhados caindo sobre os olhos.

— Do que é que você está falando? — pergunto. — Sua vida está de pernas para o ar, Frankie. Você não disse uma só coisa verdadeira desde que o Matt morreu.

Frankie concorda, recusando-se a olhar para mim. Ela se curva na areia, envolvendo os joelhos com os braços e acariciando o bracelete, como fez no hospital quando Matt morreu.

Sento-me ao lado dela e enfio meus pés na areia, soprando minhas mãos para aquecer meus dedos.

— É verdade — diz Frankie, meneando a cabeça.

— Verdade.

— Quando Johan me levou para o campo de futebol, ele me contou sobre Maria e sobre como estava arrasado. No fim, tentei beijá-lo. Achava que era o que ele queria, mas Johan me afastou, dizendo que sentia muito, mas continuava apaixonado por ela. Fiquei com tanta vergonha que nem mesmo quis voltar para o baile. Quando entramos, todos estavam fazendo comentários e brincadeiras, presumindo apenas que nós transamos, até mesmo *você*. Era mais fácil aceitar isso do que dizer a verdade, que eu não era boa o suficiente para ele. Eu ia contar a você, mas a história cresceu de tal maneira que eu não consegui lidar com isso.

Depois de um tempo, ela continuou.

— Com Jake, nós nos divertimos muito a princípio, nas noites em que fugimos. Quase dormimos juntos algumas vezes, e eu achei que aconteceria cedo ou tarde. Então, naquela noite em que você me perguntou, foi mais fácil para mim dizer "sim". Eu deveria ser a experiente, certo?

Dei de ombros, cavando túneis de areia com os dedos.

— Acho que sim.

— Depois, ele queria transar na festa, mas eu estava bêbada e não quis. Eu disse que podíamos fazer na noite seguinte. Mas, quando saí para ir para lá, ainda não queria. Não sei por quê, pois estávamos sozinhos na praia e ele é mesmo gostoso e tudo o mais. Só que... alguma coisa me impediu. Talvez seja o que você disse. As coisas fugindo do controle, você e eu brigando... Eu não conseguia pensar em nada mais. Mas era só isso. Ele não quis me ver depois disso.

Ela está chorando de novo, e meu coração se parte. Tudo está tão errado — não sei o que fazer para melhorar as coisas.

— Frankie, sinto muito. Nunca quis magoá-la. Matt e eu apenas...

— Não, Anna. Você não precisa dizer nada. — Ela balança a cabeça. — Li o diário. Você não precisa me dizer. Não importa mais. Matt está simplesmente... Ele está morto.

— Não há um segundo sem que eu pense nisso. Só estou tentando dizer que eu...

— Não posso — ela suspira, apertando minha mão. — Por favor, Anna. Não.

Não quero continuar magoando minha amiga, por isso estou tentando fazer o meu melhor.

Apenas engulo em seco.

Faço que sim e sorrio.

Um pé diante do outro.

Estou bem, obrigada por não perguntar.

Levantamo-nos e limpamos a areia de nossas pernas, concordando em tentar mudar. Em aceitar. Em seguir adiante. Em não falar mais nisso.

— Vamos entrar — ela propõe. — Eles vão acordar e nós ainda não começamos a fazer as malas.

Faço que sim, seguindo-a até a escadaria e depois até a casa.

Após arrumar as malas, limpar o quarto e tomar um café da manhã leve com tio Red e tia Jayne, faço um último passeio pelo mar — o guardião azul de meus segredos. Ele testemunhou tudo nessa viagem — a perda do albatroz, os segredos revelados, a história destruída, amores e amizades encontrados e arrasados —, mas permanece o mesmo. Tranquilizador. Imortal.

Chuá...

— Adeus — sussurro para várias coisas ao mesmo tempo. A água beija meus dedos à medida que os fantasmas de nossas memórias desaparecem da casa como digitais úmidas, as cortinas do quarto de Matt sobre a praia, fechadas contra o sol.

32

A viagem de volta para casa foi como assistir a um filme com os melhores momentos da nossa chegada de trás para a frente. Do carro, nos viramos para ver as janelas alaranjadas da casa desaparecerem por trás das palmeiras até que apenas a ponta de um iceberg de madeira fosse avistado. O caminho serpenteava e a casa desapareceu, bem como as fotografias e os contos de fadas que vivenciamos no local.

Não paramos na Moonlight Boulevard para dizer adeus para o Breeze, o Sweet Caroline's ou a banquinha de cartões-postais, ou os turistas vestidos em tecidos verde-limão, mas Red diminui a velocidade para que Jayne tire uma fotografia da placa no fim da cidadezinha.

VOCÊ ESTÁ DEIXANDO A BAÍA DE ZANZIBAR.
OBRIGADO PELA VISITA!

Na estrada, Red para no mirante onde vimos pela primeira vez as focas, insistindo que tirássemos outra foto das férias familiares para o bem de todos.

As focas estão onde as deixamos, "latindo" e brincando na praia.

O beiral e a placa informativa, a mesa de piquenique gasta, estão todos onde sempre estiveram.

Os rochedos de dolomita ainda protegem o abismo do mar, como fazem há dezenas de milhares de anos.

Minha vida toda mudou em apenas três semanas, mas, enquanto as focas começam a uivar contra o Pacífico, tudo a meu redor permanece igual.

— Vocês estão bem? — pergunta tio Red ao voltarmos para o carro. — Estou surpreso que não estejam documentando tudo isso.

— Só cansadas — diz Frankie, ignorando a câmera em sua mochila.

— Também não quero ir embora — diz tia Jayne. — Mas aposto que faremos outra viagem no ano que vem.

Fazemos que sim com a cabeça, como robôs, e olhamos pela janela do banco de trás.

No aeroporto, devolvemos o carro alugado, fazemos o check-in e passamos pela segurança em meio ao mesmo fluxo de reuniões e separações que testemunhamos quando chegamos. As mesmas pessoas. Os mesmos olás e tchaus. Os mesmos começos e finais. Antes e depois.

Chegamos ao portão de embarque a tempo para uma ida ao Jack's Java, mas Frankie e eu fazemos nossos pedidos em separado. Não fazemos nenhuma entrevista de mentirinha. Não inventamos histórias sobre os demais passageiros. Bebemos nosso café caro e tentamos ficar acordadas o suficiente para embarcar no avião sem cair mortas de sono.

Em pouco tempo estamos em nossos assentos, ouvindo as instruções da equipe de bordo e acompanhando com o cartão de informações localizado de modo conveniente nos bolsos das poltronas.

Frankie me deixa sentar na janela de novo e logo apaga em meu ombro, ouvindo a nova playlist da HP que baixou em seu iPod depois do show. À medida que observo os pontinhos brancos dos barcos desaparecerem no mar azul, a ponte Golden Gate se torna uma série de palitinhos vermelhos suspensos e eu penso em mamãe e papai, perguntando-me se eles perceberão o quanto amadureci nestas três semanas. Vou parecer ou falar ou andar diferente? Eles *saberão?*

Sim, a Anna era uma menina tão doce, mas isso foi antes do incidente. É melhor não falarmos nisso.

Chegamos em casa depois da meia-noite no horário do Leste, e preciso de toda a minha energia para me despedir dos Perino, dar um abraço em mamãe e papai e me arrastar para o quarto. Exceto pelos lençóis limpos na cama, meu quarto está da maneira exata como o deixei — familiar, confortável e previsível. Sei que as tábuas no chão rangeriam sob meus passos. Sei qual é minha gaveta de meias. Sei que monstros vivem no armário e sob a cama, e, quando entro sob os lençóis e apoio a cabeça em meu velho travesseiro, cubro-me até o pescoço, fecho os olhos e me permito pensar que talvez eu nunca tenha deixado este lugar seguro e entediante, com seus fantasmas previsíveis.

33

A manhã chega cedo demais, com mamãe me acordando de um sono profundo para que possamos tomar café da manhã juntas e conversar sobre a viagem. Sento-me e observo as paredes, lembrando-me de que não estou mais a milhares de quilômetros, numa casa de veraneio.

O relógio diz que são onze da manhã. Dez horas não são suficientes para compensar o déficit que acumulei nas últimas semanas, mas mamãe está empolgada demais para repor o tempo perdido.

Lá embaixo, papai lê o jornal na mesa, cercado por pratos cobertos. Em homenagem ao triunfante retorno das férias familiares dos Perino, nas quais não experimentei álcool, meninos, noites em claro ou caminhadas sem a aplicação de protetor solar, mamãe preparou um café da manhã de reis e filhas angelicais.

Sento-me em minha cadeira de sempre, encho o prato e lhes conto tudo sobre a viagem. Ou melhor, a versão livre, concentrando-me em atividades coordenadas por Red e Jayne e algumas menções estratégicas sobre Jackie e Samantha (cujos pais, claro, eram muito rígidos). Falo sobre os frutos do mar que comemos e da noite em que o garçom derrubou água na pele queimada de Frankie. Falo até mesmo sobre os anjos de areia que fizemos com tia Jayne. Descrevo o mar, as casas e a Moonlight Boulevard com sua mistura eclética de turistas e nativos, descobrindo que é dificílimo lembrar sem mencionar Sam e o smoothie Va-Va-Vineapple, que planejo recriar no liquidificador mais tarde.

— Parece lindo, Anna — diz mamãe, servindo-se de mais café.

— Nada de novo por aqui? — pergunto, esperando não ter mencionado Sam sem querer.

— O papai tem novidades — ela sorri para o papai, do outro lado da mesa.

— Você lembra que antes de você viajar eu consegui vender a Hoover House, aquela velha mansão na Route Five? — pergunta papai. — Bem, eu a vendi. Passou uma semana e tivemos uma disputa de lances, bem como previ.

— Papai, que ótimo! Parabéns!

— Vamos todos comemorar hoje à noite. Os Perino também. Não é divertido?

Percebo-me dando de ombros e logo acenando com felicidade.

— Onde está a Frankie, por sinal? — pergunta papai. — Já é quase meio-dia. Estou surpreso que vocês duas estejam conseguindo suportar a separação.

Respiro fundo e dou um gole no suco de laranja.

Bem, papai, primeiro Frankie mentiu para mim sobre ter perdido a virgindade para um aluno de intercâmbio no campo de futebol e disse que a primeira vez não era especial etc. Depois, decidimos fazer um campeonato de vinte garotos, mas, tipo, só conhecemos a metade disso, e ela mentiu de novo que havia dormido com um deles quando na verdade ambos apenas ficaram nus e depois não ficaram mais juntos. Enquanto isso, quando eu estava perdendo minha virgindade com o menino número cinco que conhecemos (ou era o seis?), Frankie leu meu diário e descobriu que eu era apaixonada pelo irmão dela há milhões de anos e que, por sinal, logo depois de vocês tirarem uma foto minha com ele melecados de cobertura de bolo, ele me beijou e deu início a toda essa coisa que não deveríamos contar para Frankie. Ela ficou com tanta raiva que jogou meu diário no mar, onde ele desapareceu por toda a eternidade como uma sereia apaixonada que chora pedaços de vidro do mar. Vocês vão comer o restante do bacon?

Papai prepara sua torrada com cuidado para não grudar migalhas na manteiga, esperando minha resposta.

— Devo vê-la mais tarde — digo.

— Que bom. Já contamos a Red e Jayne sobre nosso jantar. Sabe, Anna, você parece diferente. — Ele me observa um pouco mais do que o normal.

— Como assim? — Espero que minha voz não entregue nenhuma culpa sobre o já mencionado "incidente", pois iria fazer desaparecer todo o sensor de pai dele, mas deixaria mamãe alerta.

— Hummm. Bronzeada. E relaxada.

Mamãe concorda.

— Deveríamos ter deixado você tirar férias há muito tempo.

— Rá, *rá*. — Às vezes acho que sou uma alienígena que, por acidente, caiu da nave-mãe, destinada a vagar entre pais terrenos por toda a eternidade.

Depois do café da manhã, é hora da assustadora tarefa de desempacotar três semanas de segredos sujos. Digo, *roupas*. Roupas sujas.

Começo jogando todo o conteúdo de minha mala — incluindo uns cinco quilos de areia — sobre a cama.

Separo tudo o que não é roupa — vidros do mar, conchas e bolachas do mar; a pedra listrada que Frankie me deu em nosso primeiro dia; iPod; celular; cartões-postais não enviados; um ímã de São Francisco para meu armário de escola do ano seguinte; o livro de poemas sobre o mar da City Lights; e o cardápio da Smoothie Shack com o e-mail de Sam anotado no canto inferior.

Começo um novo pote com meus vidros do mar e coloco o cardápio no fundo da gaveta de meias, onde mamãe não o encontrará. Tudo o mais encontra um lugar em meu quarto, como se sempre estivesse ali — até mesmo o moletom de Sam se encaixa facilmente em minha gaveta entre outras blusas, como se fossem velhas amigas se reunindo depois de uma longa separação.

A blusa ainda tem o cheiro dele. Deixo-a por cima para vesti-la hoje à noite, depois que mamãe e papai estiverem recolhidos em seu quarto.

Abro a janela e a tela protetora, na esperança de poder me livrar da areia de algumas das minhas roupas sem que o vento a sopre de volta em meu rosto. Vejo Frankie deitada no jardim, perpetuando seu belo bronzeado. Ela folheia um exemplar da *Celeb Style* e a deixa sobre a pilha de revistas na cadeira ao lado, que na praia fora minha.

A revista provoca uma avalanche, caindo da cadeira sobre a grama, levando três ou quatro exemplares consigo. Ela se inclina para pegá-las, mas, como não consegue alcançá-las sem sair da cadeira, opta por derrubar o restante na grama e virar de lado.

Não há barriguinha enxuta, lábios entreabertos, pernas ligeiramente dobradas e traseiro empinado.

Não há areia.

Não há o som do mar.

Nada de meninos babões.

Só Frankie e minha cadeira vazia.

Dói observar, e me sinto culpada por ficar nas sombras de meu quarto como uma espiã.

— Frank! — grito para ela. — Já estou indo.

Frankie se encontra comigo na cozinha, pegando duas Coca--Colas Diet a caminho do andar de cima.

Parece que já faz anos que estive aqui, e o marrom com roxo do quarto marroquino é uma confortável recepção.

Sento-me na cama, sobre minhas pernas. A câmera de vídeo dela está conectada ao computador na mesa, transferindo as provas do Melhor Verão de Todos os Tempos para seu disco rígido.

— Podemos assistir mais tarde, se você quiser — ela diz, acenando para a câmera ao vestir uma bermuda por cima de seu traje de banho e se sentar diante da penteadeira. Da última vez que estive aqui, eu a observei se arrumar toda para uma noite de viagem diante do grande espelho atrás dela.

Dou de ombros. Nós nos encaramos e depois desviamos o olhar. Nós nos encaramos. Desviamos o olhar. Abrimos nossas Coca-Colas e bebericamos. Ninguém diz nada. Depois, falamos ao mesmo tempo.

"Frankie, eu"; "Anna, eu" — estranho e tenso. Nunca estivemos neste papel antes. Não sabemos como agir.

É o quarto dela, portanto a deixo falar primeiro.

— Estou feliz por você ter vindo, Anna. Sei que já falamos um pouco sobre isso, mas ainda parece estranho. Tenho mais coisas para dizer.

— É, eu também.

— Certo, então... — Ela respira fundo, deixando escapar um fraco "Matt" ao fim de seu suspiro, como vapor. — Entendo por que ele não quis me contar na mesma hora — ela diz. — Ele estava sempre preocupado comigo, até mesmo quando éramos crianças. Se eu arranhava o joelho ou caía da bicicleta, ele era o primeiro a me ajudar, e logo pedia um curativo para minha mãe.

— Eu lembro — sorrio. — Ele era o típico irmãozão.

— Era mesmo. Mas é isso. Ele não está mais aqui para me proteger, Anna. E você tampouco deve me proteger. Sei que deixei as coisas saírem dos trilhos. Não queria que fosse assim, apenas aconteceu. Você não poderia ter mudado isso. Eu... É algo pelo qual tenho de passar sozinha.

Minha garganta se fecha.

— Sinto-me como se o tivesse decepcionado — digo. — Toda aquela coisa de fumar, Johan, Jake... Não cuidei de você. Não consegui nem mesmo manter uma única promessa.

— Anna, meu irmão *morreu.* Não há como você me proteger disso. É comigo agora. *Eu* o decepcionei. Eu *me* decepcionei.

Ela pega um maço de cigarros da gaveta.

— Sei que posso me sair melhor — ela diz, amassando os cigarros e jogando-os no lixo. Não a vejo tão segura assim desde que escolhemos nossos biquínis na Bling e inventamos o Verão dos Vinte Garotos.

— Frankie...

— Tem mais, Anna. Quando chegamos à Califórnia, você me perguntou se eu me lembrava de sua festa de aniversário.

Faço que sim com a cabeça, pegando um fio de linha solto do edredom.

— Eu lembro *muito bem.* Matt estava agindo como um astronauta naquela noite depois que voltamos para casa. Ele estava flutuando. Não acredito que não percebi na hora. Quero dizer, a última pessoa em quem achei que ele pudesse estar pensando era você. Isso nem passou pela minha cabeça. Você era uma irmã para nós.

— Mas eu...

— Espere... Deixe-me dizer tudo. — Ela me olha com dureza, sua sobrancelha cortada tremendo para segurar as lágrimas. — Depois de escovar os dentes, entrei no quarto dele. Ele estava sentado na cama, brincando com o colar de vidro azul que sempre usava. Havia um grande sorriso em seu rosto. Você se lembra do colar?

O colar.

— Claro.

— Perguntei a ele o que era tão engraçado. Ele deu um salto, sem saber que eu estava lá vendo-o sorrir como um menininho bobão. Ele disse que não era nada. Só que se divertiu na festa. E eu acreditei nele, até o dia em que li seu diário. Foi quando tudo fez sentido. Todas as vezes em que ele me perguntou sobre quem você gostava na escola ou qual menino queria convidá-la para o baile.

Ela fica em silêncio enquanto tento digerir a história, reunindo as peças para formar um todo da metade que me faltava desde aquela noite — como ele se sentia de verdade a meu respeito? Foi apenas um momento de estupidez que logo seria esquecido, assim que ele fosse para a faculdade?

— Eu estava apaixonada por ele há tempos. Desde que eu tinha, sei lá, dez anos — confesso.

— É — ela diz. — Vocês dois estavam apaixonados. Sei disso agora. Éramos íntimos demais, sabia? Só percebi depois de ler seu... Desculpe, Anna.

Fecho os olhos, lutando contra a imagem das mãos dela em meu diário.

— Tudo bem.

— Na noite em que voltamos do hospital, quando a mamãe e o papai estavam lá embaixo com seus pais depois que eles a levaram para casa, fui até o quarto dele. Até agora não sei por quê. Sentia como se ele estivesse me chamando ou coisa parecida. Lá dentro, tudo estava do modo exato que ele deixara pela manhã. Sua cama desfeita. Roupas sujas no chão. A camiseta azul suja de bolo de algumas semanas atrás — igual à que você tinha no seu armário — estava pendurada no armário dele, suja. É provável que continue lá.

Sorrio, imaginando Matt pendurando a camisa suja atrás da porta naquela noite ao mesmo tempo em que eu guardava a minha num plástico em meu quarto, bastante assustada com o que acontecera.

— Achei que você não tivesse reconhecido a minha blusa suja — digo. — Naquele dia que repassamos as coisas no meu armário, antes da viagem. Você queria que eu a jogasse fora.

— Não a reconheci naquele dia. Mas, assim que vi a fotografia no seu diário, as coisas começaram a fazer sentido. De qualquer modo — continua ela —, naquela noite, depois do acidente, o quarto ainda tinha o cheiro dele, sabe? Era como se eu pudesse me fechar lá para sempre e ficar respirando e dizendo a mim mesma que ele voltaria. Sentei-me na beirada da cama e olhei as coisas na mesinha de cabeceira. O despertador. Um copo semicheio de água. Alguns trocados. Alguns livros que ele estava lendo. E o colar.

— Sério? — pergunto. — Sempre achei que o colar tivesse se perdido no hospital ou no acidente.

— Não. Ele deve ter se esquecido de colocá-lo naquela manhã. E, na noite do acidente, algo me disse para ficar com ele, por isso o peguei. Coloquei-o na minha mão e chorei até dormir, na minha cama. Na manhã seguinte, acordei com o colar na mão até aquele momento. Não conseguia nem lembrar direito onde havia pegado ou de como aquilo saiu do quarto dele para o meu.

Alguns dias mais tarde, a mamãe estava vagando pela casa, resmungando sobre o colar azul — ela queria colocá-lo nele. Não contei a ela que o colar estava comigo. Escondi-o no bolso de um velho casaco, onde sabia que ela não procuraria, nem mesmo em seus rompantes de decoração. A mesma coisa que me disse para pegá-lo me disse para guardar segredo. Eu me senti péssima porque a mamãe achava que ele estava perdido, mas eu sabia que havia um motivo para não deixar que ele fosse enterrado com meu irmão. Eu apenas não sabia por quê... até agora.

— O que você quer dizer? — pergunto, ainda chocada por ela ter ficado com o colar todo esse tempo. Ela sabia muito bem guardar segredo.

Ela deixou o refrigerante de lado e pegou algo da gaveta onde costumava guardar os cigarros.

— Quero dizer que ele é *seu,* Anna. Sempre foi seu. — Ela coloca sua mão na minha.

Meus olhos passam aos poucos do rosto dela para o objeto frio em minha mão. Lá está, pequeno e discreto, dois cordões de couro segurando um triângulo de vidro azul. A história se passa em minha mente como um filme — o bolo, a pia da cozinha, o colar, o beijo, as mensagens, a parte de trás da casa, o segundo beijo, o outro, outro e outro, as estrelas, os livros, o armário, o sorvete, o carro, o hospital. Meu rosto queima. Espero que a tristeza me afogue, que as lágrimas comecem.

Espero.

Espero.

Espero.

Mas... nada.

Estou — *bem.* Penso em Matt e no triângulo azul em seu pescoço e sinto algo preso a meu peito, mas nada de lágrimas. Nenhuma sensação de perda. Nenhum desabamento de rochas.

Estou bem.

Pego o colar e sinto uma necessidade avassaladora de... calma, talvez. E amor. E perdão. E término. Um começo, um fim e um recomeço.

— Obrigada — sussurro, abraçando-a por um bom tempo.

— Então acho que não chegamos a vinte, não é? —Frankie sorri, enxugando os olhos.

— Não exatamente.

— Bem, você consegue ao menos cinco pontos extras por Sam.

Sam. O som do nome dele me lembra do cheiro de sua pele, e os pelinhos em minha nuca se eriçam.

— Você sabe que vou precisar de todos os detalhes de seu *rendez--vous*, certo? — pergunta Frankie.

— Francesca, estou chocada!

— Ah, que é isso?! Você sabia que eu a faria contar tudo no final das contas!

— Não! Estou chocada por você ter usado direitinho uma palavra como "rendez-vous"! E até mesmo pronunciou...

— E *você* está tentando mudar de assunto. — Ela ri, enxugando a última lágrima com o dedo. É diferente desta vez a sua risada. Triste e um pouco séria, mas crua e esperançosa, além de honesta. Quando o vidro vermelho de seu bracelete brilha contra sua pele bronzeada, afinal entendo. Nunca houve uma nova ou velha Frankie. Tudo o que aconteceu é parte de quem ela é; de quem eu sou; da melhor amiga que sempre amei.

Levo o triângulo de vidro azul a meus lábios e sorrio por Matt, meu melhor amigo-menino, e dou o último adeus para a promessa triste que carreguei, como meu diário, por tanto tempo. Em algum lugar no oceano, uma sereia banida lê minhas cartas e chora eternamente por um amor que nunca conhecerá — nem por um instante.

Antes da viagem, Frankie e eu nos preparamos para o Melhor Verão de Todos os Tempos, o Verão dos Vinte Garotos. Nunca concordamos com nossa contabilidade final — se os meninos da Caroline's deveriam ser incluídos, se o homem do milk-shake era velho demais para ser considerado um "menino", se o roqueiro tatuado era apenas uma recaída. Mas, no fim, havia apenas dois meninos que importavam.

Matt e Sam.

Quando fecho os olhos, vejo Sam deitado a meu lado na toalha naquela primeira noite em que observamos as estrelas — a noite em que ele me fez ver as coisas de um jeito diferente; a brisa em minha pele e a música do mar à noite. Mas também vejo Matt; seu beijo com cobertura de marzipã. Todos os livros que ele leu para mim. Seus contos de fadas da Califórnia por fim ganhando vida na baía de Zanzibar.

Quando beijei Sam, tinha tanto medo de apagar Matt... Mas agora sei que jamais serei capaz de apagá-lo. Ele sempre fará parte de mim — só que de uma forma diferente. Como Sam, preparando smoothies na praia, a milhares de quilômetros. Como Frankie, minha borboleta mágica encontrando seu caminho para casa no escuro. Como as estrelas, desaparecendo no brilho do luar. Como o mar, caindo e sussurrando na praia. Na verdade, as coisas não vão embora. Elas se transformam em algo diferente. Algo mais bonito.

Frankie sorri, arqueando a sobrancelha partida com expectativa. Nesse instante, sentada em seu edredom roxo com o sol atravessando a janela, percebo que temos sorte — sorte por estarmos vivas, como todos disseram.

Guardo o colar no bolso e respiro fundo.

Não se mova, Anna Reiley. Neste instante, tudo é perfeito.

Agradecimentos

Minha sincera gratidão a todos que me deram inspiração, encorajamento e a oportunidade de escrever esta obra e realizar este inacreditável sonho.

A minha editora, Jennifer Hunt, que acreditou em mim a ponto de comprar a briga e cujo incrível talento para contar casos deu vida ao diário de Anna Reiley. Obrigada também a T. S. Ferguson e a todos na Little, Brown que ajudaram a tornar esta história um livro real e vivo.

A Ted Malawer, meu agente, que enfrentou meus incessantes e-mails e trabalhou muito para me dar a melhor notícia de aniversário de todos os tempos.

Ao Lighthouse Writers Workshop, em particular Jenny Vacchiano Itell, que deu uma valiosa orientação; Andrea Dupree, sempre torcendo por mim; e Mike Henry, que perguntou: "Você já pensou em escrever para adolescentes?". Obrigada, ainda, a Bill Henderson, Jay Barry, Rachel Miller, Meredith Sale, *GIS!* e todos os meus amigos escritores, pelas críticas, que me encorajaram e ajudaram nas manobras literárias.

A mamãe e papai, que me persuadiram a escrever minhas próprias coisas depois do caso *E.T.*, em 1981; a meus irmãos, Steve Ockler e

Scott "Não tenho vergonha de ler livros para meninas adolescentes". Ockler; para minha família adotiva, para mim mesma, a Bims de um milhão de dólares; Amy Hains, que nunca duvidou; e a todos que perguntaram "quando vou poder ler?" Hummm, *agora?* Agora é legal!

E a meu marido, Alex, que disse: "Bims, você é uma escritora!". Obrigada por me lembrar disso quando quase me esqueci. Isto é para aqueles que duvidam do arco-íris, meu amor.

Por fim, sou eternamente grata a meus queridos amigos John e Margaret Moyer, e a todas as famílias generosas. Vocês inspiraram esta história. Obrigada por terem dito sim.